C000258590

COLLECTION FOLIO

Maylis de Kerangal

Un chemin de tables

Gallimard

Ce livre a précédemment paru
dans la collection *Raconter la vie*
aux Éditions du Seuil.

Maylis de Kerangal a grandi au Havre. Elle est l'auteur de nouvelles, *Ni fleurs ni couronnes* (« Minimales », 2006), d'une fiction en hommage à Kate Bush et Blondie, *Dans les rapides* (2007), et de romans publiés aux Éditions Verticales, dont *Corniche Kennedy* (2008), *Naissance d'un pont* (prix Franz Hessel et prix Médicis 2010), *Tangente vers l'est* (prix Landerneau 2012) et *Un monde à portée de main* (2018). Paru en 2014, *Réparer les vivants* a été traduit en trente-cinq langues et récompensé par de nombreux prix littéraires, dont celui du Roman des étudiants France Culture-*Télérama* et le Grand Prix RTL-*Lire.* La même année, Maylis de Kerangal a reçu le Grand Prix de littérature Henri Gal de l'Académie française pour l'ensemble de son œuvre. Plusieurs de ses romans ont été adaptés au théâtre et au cinéma. Elle est par ailleurs membre de la revue *Inculte.* Elle vit et travaille à Paris.

1

Berlin / döner kebab

Un train roule vers Berlin. Il traverse à bonne vitesse des étendues rases, des champs qui fument, des rivières, c'est l'automne. Assis contre la vitre dans un wagon de seconde, il y a ce jeune homme, vingt ans, délié, maigre bagage, un livre entre les mains – je suis assise sur la banquette d'en face, je déchiffre le titre sur la couverture, *La Cuisine de référence, Techniques et préparations de base, Fiches techniques de fabrication*, repère trois toques stylisées sur fond bleu blanc rouge, puis je soulève les fesses et me penche en avant, bascule tête la première dans le livre, à l'intérieur des planches où s'alignent des vignettes légendées en italique, pas-à-pas photographiques où il n'est nul visage humain, nulle bouche humaine, mais des torses et des mains oui, des mains précises aux ongles propres, et ras, des mains maniant des ustensiles de métal, de verre ou de plastique, des mains plongées dans des récipients, des mains que prolongent des lames, toutes mains saisies dans un geste.

Le jeune homme feuillette les pages de son livre, compulse, va et vient du sommaire au lexique, de la préface aux annexes, il manipule l'ouvrage. Tourne autour sans le lire encore, comme s'il ne savait comment l'aborder – de fait, je crois qu'il ne sait pas grand-chose, pas même ce qu'il fabrique dans ce train ce jour à cette heure, et si on lui posait la question, si on lui demandait là, sur-le-champ, pourquoi Berlin ?, j'imagine qu'il hausserait les épaules, fermerait les paupières, laisserait son occiput aller contre le dossier du siège et rentrerait en lui-même. La seule chose dont il soit certain c'est d'être assis dans ce compartiment, immergé dans ses luisances de skaï et de laiton, dans cette atmosphère de confinement – chaleur molle, effluves de détergent –, au contact de ce sol de moquette ; la seule chose qu'il éprouve avec certitude, c'est la fermeté de la machine qui le contient, et qui avance. Lancé grisâtre en travers de la vitre, le paysage est un vieux matelas, le garçon referme le livre et s'endort.

Ça caille sec du côté de Prenzlauer Berg en cet octobre 2005 quand Mauro, sac de voyage en bandoulière, traverse la gare quelques heures plus tard et se rend à pied dans un immeuble de la Lottumstrasse où l'appartement d'un copain, loué pour pas grand-chose, sera encore trop vaste pour eux deux. La cage d'escalier résonne et, sur le palier, la porte est ouverte. Mauro entre, appelle, personne, et va s'asseoir en tailleur à même le parquet dans le périmètre immédiat d'un poêle à charbon sculpté comme un parement de fontaine. Il regarde autour de lui, quelques meubles de récup' agencent le vide, il se frotte les mains, s'avise qu'il a faim. Il est là pour trois mois.

De cette période berlinoise, Mauro se souvient de jours blancs, froids et vides, de nuits noires, chaudes et surpeuplées – une balance qui lui convient. Les premières semaines tout de même, le temps diurne l'impressionne, disponible et fibreux, de la laine de verre. Heures solitaires dans l'appartement quand Joachim – le colocataire –, lui, travaille dans un bar branché sur la Rosenthaler Strasse ; heures planantes où le moindre de ses mouvements fait craquer l'appartement, si bien qu'il monte le volume de la musique à fond pour ne rien entendre, et se coule dans cette matière sonore jusqu'à glisser à l'heure dite dans celle, semblable, du bar où il sort retrouver les autres. Là, il se rive aux gestes, aux expressions, aux visages de ceux qui l'entourent puisque ne parlant pas un mot d'allemand, et sinue jusqu'à l'aube entre les corps déjantés.

Un matin, tout de même, il se remue, il s'ébroue – un poulain. Avale une miche de pain noir, un café américain, et hop, il sort. Part en reconnaissance, caban bien boutonné, col relevé, moins de 10 euros en poche, et son pas est maintenant celui d'un pisteur, aussi décidé que sa trajectoire est aléatoire. Le lendemain il recommence, et le jour d'après idem. Berlin déclinée au ras du bitume dans le sens des aiguilles d'une montre : Pankow, Friedrichshain, Schöneberg, Dahlem, Charlottenburg, Tiergarten – quand même, il abuse de ses baskets, ses talons se couvrent de cloques, et quand je le vois passer depuis ma fenêtre, le soir, de retour dans la Lottumstrasse, j'observe qu'il boitille un peu et me souviens d'une décoction de sauge et de thé vert où plonger les pieds pour calmer le feu des voûtes plantaires.

Randonnées urbaines, ces virées sont ponctuées de pauses brèves dans les cafés de Neukölln pour une bière à l'arrache, pauses qui se prolongent dans les files formées devant les kebabs à l'heure du déjeuner – files d'attente où ça souffle dans le froid coupant, où ça piétine, où ça sautille bras croisés et mains sous les aisselles. Le *Döner* est une institution berlinoise, et les kebabs plus nombreux dans cette ville que les McDo – Mauro en essayera plus d'une trentaine au cours de son séjour, finissant par élire son favori, préparé dans une camionnette à la station de métro Mehringdamm. Croustillant des lamelles de viande, sucré des oignons grillés, croquant des frites, moelleux de la brioche, onctuosité de la sauce grasse imprégnant le tout, et chaud, chaud, chaud : le parfait combustible.

Manière de se figurer la ville, de s'y repérer, ces marches sont aussi une manière de s'ouvrir un espace de pensée : alors que son corps fume dans l'air glacé, alors qu'il fend un passage sur le cadastre perturbé d'une ville en pleine métamorphose, c'est sa vie que Mauro se figure et repère, c'est sa vie qu'il éclaircit.

Kilomètre après kilomètre, il ramasse les dernières années. Les semestres en sciences éco enquillés à Censier jusqu'à la licence, diplôme obtenu en forçant la veille des partiels et unique sursaut d'intensité dans une année universitaire transparente, cotonneuse ; la glande collective comme un envasement délectable, la fumée des joints voilant les jours, opacifiant les nuits, flottement général de tout et zéro saillance mnésique – putain où sont-elles passées ces années ? La parenthèse lisboète comme une orange gorgée de soleil, l'école de commerce pour jeunes bourgeois héritiers du système désertée pour une expérience de vie communautaire, et des colocataires qui étaient des ventres, se livraient à des festins de quatre à cinq heures consommés dans une parole continue, mélange de langues basque, espagnole, portugaise, italienne – et celle de Mia jouant dans la sienne ; Mauro cuisinant pour la tablée des gratins monstres, du blanc-manger au citron, du pain perdu, toutes sortes de soupes et de bouillons ; le trafic continuel des confitures maison et de la charcuterie de ferme, joyaux roulés dans du papier journal et véhiculés au fond des sacs de sport. La « redescente » au seuil de l'été une fois achevée la séquence Erasmus et l'obtention du master, bye bye Lisbonne, glas de la fête amoureuse, et soudain l'irruption du vide, l'avenir opaque, la gamberge et la dèche, la bagnole qui lâche sur la route du retour, dans la cour d'une ferme des Charentes où son cousin vit avec Jeanne. C'est le plein été, la campagne grésille, paresseuse, Mauro tourne en rond pendant deux mois, sans projet mais pourvu d'une certitude : il ne retournera pas à la fac à la rentrée.

À ce stade de sa transberlinoise, Mauro fait souvent une pause, pénètre dans la première brasserie qu'il trouve sur son chemin, avise une table près de la porte : Jeanne, il y repense.

Un chapeau de paille sur la tête, un short en jean frangé sur des jambes de sprinteuse, des petits pieds bombés dans des ballerines de cuir et une dépense hallucinante – moutons, poules, cochons, jardin potager. Il la suit des yeux quand elle traverse la cour de sa ferme, une bêche à la main, concentrée. Il l'écoute encore quand elle vient s'asseoir devant la porte de la cuisine, et lui balance tout en se roulant une cigarette : et donc toi tu étudies les sciences économiques ? Il sursaute, hoche la tête, lui aussi adossé contre le mur qui chauffe, une bière à la main. Jeanne, précisément, s'intéresse à l'économie, se connecte aux débats sur les blogs, dans les forums, lit les théoriciens de la décroissance, étudie les nouvelles filières de l'agriculture biologique. Elle sourit : d'ailleurs, hormis les clopes et le vin, la viande, la majeure partie de ce qui est mangé ici est produit sur place, t'avais remarqué ou pas ? Mauro secoue la tête, non, il n'avait rien remarqué.

C'est la première cuisinière qu'il rencontre, cuisinière de profession, cuisinière depuis toujours. Durant l'été, elle lui montre sur ce terrain bien autre chose que la débrouille gastronomique des artistes, celle qu'il connaît, celle des amis qui mélangent leurs histoires. Elle l'introduit dans un autre domaine, le domaine écologique, le territoire des ressources terrestres. C'est une vaste étendue de fruits et de légumes, de poires blondes, de courgettes diamant, de carottes fanes et de tomates cœur-de-bœuf, de racines goûteuses, d'aubergines sultanes et d'herbes sauvages, le cerfeuil, la sauge et les orties. C'est un continent peuplé de petites volailles que l'on saisit par le cou, où l'on parle au cochon Napoléon, où règne le taureau Soleil, c'est une cuisine humaine. Un autre monde. Il se passe quelque chose. Mauro aime qu'elle vive comme elle pense, connectée à la terre, aux saisons, aime son énergie et la limpidité de ses humeurs – la gaieté franche, la colère orageuse – et je suis certaine qu'il a été chamboulé par la sûreté de son geste, de son pas, de son regard.

Le garçon ne rentre pas tout de suite à Paris, prolonge l'été à la ferme, travaille avec les saisonniers et fin septembre, quittant les Landes pour rallier Berlin où il retrouvera Joachim, histoire de faire durer l'incertitude, Mauro s'arrête à Paris chez Gibert, place Saint-Michel, et y achète, en plus d'un topo-guide de Berlin, un lot de manuels de cuisine censés préparer au CAP.

Ce matin de novembre, dans l'appartement bleuté de la Lottumstrasse où la condensation ruisselle le long des fenêtres, Mauro risque un bras hors de la couette et plonge la main dans son sac de voyage, la tourne à l'intérieur comme on goûte l'eau d'un bain. La prospection, censée lui rapporter quelques euros en pièces, le conduit à effleurer la couverture froide de l'un des livres de cuisine, oublié là, jamais ouvert. Il le sort, le considère avec étonnement comme s'il le remontait des profondeurs du temps à la surface du présent, puis se lève et prend le chemin de la Bibliothek Am Wasserturm, sur Prenzlauer Allee – à quel moment, à quel moment exactement, le cours de la vie s'affermit-il, durcissant cette piste-ci comme un futur possible, ou désirable, celle-ci et non celle-là, celle-ci et aucune autre ? Je me dis souvent que c'est durant ce séjour berlinois, dont il ne conserve pourtant qu'une impression de froid et de longues distances, que Mauro a entamé sa sortie de la latence, ce royaume de la jeunesse. Le voilà qui trouve une place dans la salle de lecture et se met à lire. L'endroit est moderne, clair, calme. Il y fait chaud.

2

Aulnay / gâteaux, carbonara, pizza maison

La cuisine, il n'y avait jamais pensé comme à un métier possible. Aujourd'hui, on raconte volontiers le petit garçon qui venait traîner devant les casseroles à l'heure des repas, haussé sur la pointe des pieds le nez dans la cocotte, les yeux rivés à la vitre du four, le doigt trempé dans la crème – qu'est-ce qu'on mange ? c'est quoi ? On aime se souvenir du gosse concentré et maigrichon qui, ayant reçu un livre de recettes de gâteaux en primaire, entreprit durant plusieurs mois d'en réaliser un par jour au retour de l'école, un peu comme d'autres s'en vont dans leur chambre construire des mondes de Lego, organiser des combats de robots cosmiques, jouer à la Playstation, dessiner des joueurs de foot, ouvrir une bande dessinée. Ce sont des récits qui fabriquent une légende, ou concourent à inscrire une logique façon « tout petit déjà... ».

Car, de vocation, de voix qui appelle dans le creux de l'oreille, de passion qui tend le corps en une ligne dure, il n'en est pas question à l'époque. J'ai beau en chercher la trace dans ses cahiers, dans ses dessins, dans les lettres qu'il écrit à sa grand-mère à Noël, je n'en trouve aucune. À sept ans son truc c'est plutôt d'être clown, à quinze c'est de faire fortune, palper des pépettes, une vie internationale et stylée qui ressemblerait à celle d'un golden boy – et sans doute annonce-t-il ce désir de richesse pour emmerder ses parents, couple bohème hyper-doué pour qui vouloir devenir riche est une incongruité qui passera, le signe d'une adolescence en crise : haussements d'épaules et sourires en coin.

Mauro grandit en Seine-Saint-Denis au sein d'une famille d'artistes – père aux mille métiers, mère sculpteur, une sœur plus jeune. Le couple a trouvé à Aulnay-sous-Bois plus encore qu'un logement où habiter : un espace où créer.

On ne roule pas sur l'or dans cette maison, c'est vrai. Pour autant, il n'est pas question de transiger avec ce qui est déposé sur la table familiale – saveur et variété : on ne mange pas n'importe quoi. On ne mange pas non plus n'importe comment : les assiettes sont fleuries, les verres en forme de tulipe, les serviettes textiles roulées dans des anneaux de buis. Ce qui se joue à l'heure des repas est conçu comme un rapport au corps et une inscription dans le monde, l'idée d'une conscience de soi, autrement dit ce par quoi l'homme se distinguerait de l'animal – Jacques, le père de Mauro, rappelant volontiers d'une voix de ténor qu'il existe ainsi dans la langue allemande deux verbes pour « manger » : *essen* (les hommes) et *fressen* (les animaux).

Transmise par la lignée maternelle, italienne, cette culture de la commensalité inscrit au quotidien une ritualisation des repas que chacun respecte. Elle fait également surgir dans le paysage, aux côtés d'Anna, la mère, aventurière et raffinée, une grand-mère aux plats mythiques, conservatoire ambulant de la cuisine toscane, recettes que décline le célèbre *Talismano della felicità*. Dès lors, quand l'enfant entre dans la cuisine et noue un torchon autour de sa taille, c'est sous la double influence de ces deux figures quasi opposées, ou plutôt suivant leur friction continuelle qui, ensemble, catalysent l'épopée de tout cuisinier : la création et la tradition, l'innovation et la coutume, l'étonnement et la simplicité.

Au début, tout de même, l'idée de la création joue davantage, elle est première pour l'enfant. Sans doute est-ce de voir sa mère pratiquer au fil des jours l'art d'accommoder ce dont elle dispose, de le sublimer, sans doute est-ce de la voir dégainer débrouillardise et ingéniosité pour défier un quotidien ric-rac – autrement dit ce sont des variations infinies autour de produits simples et bon marché, de la viande une fois par semaine, et jamais le restaurant.

Dès le commencement, Mauro pénètre dans la cuisine comme dans un espace magique, à la fois terrain de jeu et zone d'expériences. Il y use du feu et de l'eau, y actionne machines et robots, et bientôt maîtrise quelques métamorphoses : la fonte et la cristallisation, l'évaporation et l'ébullition, le passage de l'état solide à l'état liquide, celui du froid au chaud, celui du blanc au noir – et inversement –, celui du cru au cuit. Elle est le théâtre de la transformation du monde. Si bien que cuisiner devient rapidement autre chose qu'un jeu aux règles fixes, c'est une leçon de choses, une aventure chimique et sensorielle.

Mauro a donc dix ans quand il commence les gâteaux. Chaque soir le voilà qui entre dans la cuisine après avoir balancé son cartable en travers de sa chambre. À cette heure il est seul dans la maison, et maître des lieux.

Il sonde les placards, fait l'inventaire du frigo, puis ouvre le livre de cuisine et choisit une recette qui corresponde aux ingrédients dont il dispose et qu'il place sur la table de manière à bien les voir. Puis il lit la recette et visualise mentalement le processus. Bientôt le voilà qui verse, casse, pèse, bat, broie, chauffe, mesure, transvase, manipule, pétrit, coupe, épluche, cuit, dispose, mélange, et reproduisant les gestes de l'adulte, le voilà qui prépare à manger pour les siens.

Puisque d'emblée la cuisine induit les autres, induit la présence des autres contenue dans le gâteau comme le génie dans la lampe. Puisque la préparation d'un plat appelle immédiatement une table dressée, un autre convive, du langage, des émotions, et tout ce qui peut se jouer de théâtral dans un repas, depuis la présentation du plat aux commentaires qu'il suscite – borborygmes des convives bouches pleines et yeux écarquillés. Là se loge précisément le plaisir de Mauro qui, devenu adolescent, conserve au sein de son entourage l'emploi de cuistot comme d'autres endossent les rôles du beau gosse, du mécano, de l'intello, du loulou, du dragueur, du sportif, ou encore du rigolo de la bande – la bande soit six garçons qui vont se côtoyer pendant sept ans, collège-lycée, sans jamais se lâcher. *Je n'ai jamais cuisiné pour moi seul* – et il me tend une assiette de poulpe à la plancha.

La chose qui l'émerveille, au temps des pâtisseries, c'est le pouvoir magique du livre de cuisine. Comme si le gâteau résultait de la recette, issu du langage comme issu du four au terme de la cuisson. De sorte que plus son expérience grandit, plus son vocabulaire s'enrichit, incorporant celui de la cuisine. Suivre une recette c'est faire correspondre des perceptions sensorielles à des verbes, à des noms – et par exemple apprendre à distinguer ce qui croque de ce qui craque, et ce qui craque de ce qui croustille, apprendre à spécifier les différentes actions que sont dorer, brunir, blanchir, jaunir, roussir, blondir, réduire, ou encore apprendre à savoir raccorder la gamme chromatique des couleurs, la variété des textures et des saveurs à celles, infiniment nuancées, du lexique culinaire. Mauro acquiert ce langage comme une langue étrangère au fil des charlottes, babas, îles flottantes, gâteaux marbrés, cheesecakes, tartes au citron meringuées, puddings, macarons, financiers à la pistache, bavarois, crèmes brûlées, fondants au chocolat, clafoutis, tiramisus, reines de Saba et autres balthazars.

Dès lors, et dans le même temps, Mauro

forme ses sens et bientôt sait estimer de visu la capacité d'un dé à coudre, d'une cuiller à café, d'une pincée de sel, sait jauger le volume et la masse que représentent 250 grammes de farine et 50 grammes de beurre, sait jouer des températures et des temps de cuisson, dater un œuf, une crème, une pomme. Ses sensations peu à peu se précisent, mobilisées ensemble à chaque étape de la préparation, coalisées en un seul mouvement, comme si l'enfant s'unifiait lui-même, c'est la synesthésie, une fête, et le voilà qui maintenant cuisine à l'oreille tout autant qu'au nez, à la main, à la bouche ou à l'œil. Son corps existe davantage, il devient la mesure du monde.

L'enfance s'éloignant, le désir d'épater les adultes à la table familiale, parents ou amis, faiblit. Mauro a bien d'autres choses à faire, une adolescence à vivre, et la maison lui brûle les pieds. S'il poursuit ses incursions en cuisine, c'est désormais pour ses acolytes, et parce que c'est meilleur, moins cher. Tout de même, il a des principes : la malbouffe est une violence faite aux pauvres, le plat cuisiné industriel signale la solitude des existences urbaines. Idéologue de treize ans, Mauro prévient la bande : la pizza congelée c'est niet, le McDo itou. Les copains répondent OK en tâtant le fond de leur poche et se demandent à voix haute ce qui pourrait rivaliser avec la formule « repas complet assis et chaud » pour moins de 7 euros ? Moi ! Mauro s'est dressé d'un bond.

Désormais le samedi soir, quand les six copains débarquent dans la maison d'Aulnay, il se lance dans un plat, car la pure immanence de la glande lycéenne – qui est une grâce mais qui est aussi une dépense, il faut l'admettre une bonne fois pour toutes – requiert elle aussi son quota de sucres lents et sa dose de calcium.

Ces années-là, les six d'Aulnay carburent à la pizza « faite maison », aux pâtes à la carbonara, aux pommes de terre sautées à l'échalote, à la mousse au chocolat, aux crêpes Suzette. C'est bon les gars, c'est pas cher, c'est ce que leur dit Mauro quand ils viennent stagner chez lui, le week-end ou après les cours, et s'affalent dans les canapés tout en faisant tourner une cagnotte où chacun lâche 3 à 4 euros – sans le coca, sans les bières, sans les clopes. Ça râle, ça se moque, et puis finalement ça dévore sec en faisant toutes sortes de petits bruits de gosier, ça se régale.

Dans la foulée, Mauro est préposé à l'avitaillement de la troupe avant les virées ici ou là. *Faire le plein, faire les courses, j'ai toujours adoré ça,* c'est ce qu'il me raconte en poussant un caddie entre les différents rayons du supermarché géant où je l'accompagne un matin porte de Bagnolet, cinq mille mètres carrés dont il maîtrise parfaitement le cadastre. Contrairement à ceux – dont moi – qui retournent chaque semaine dans la supérette de leur quartier, devant les mêmes alignements, les mêmes colonnes, afin de s'approvisionner des mêmes produits en même quantité, lui se disperse, il explore, flâne, loin d'être étourdi par la déclinaison infinie d'un même aliment, par les paquets de céréales de format identique, par la multitude des beurres – moulés, en motte, doux, demi-sel, à cristaux de sel, allégés, de Surgères, fermiers, conditionnés dans des beurriers ou des mottes en plastique, ou simplement emballés dans des papiers d'aluminium, sulfurisés, et ornés de croix bretonnes. Au contraire, il semble heureux de pouvoir préciser ses choix. Bientôt, il ralentit devant le rayon des condiments, saisit un pot de sauce tomate parmi la vingtaine présentés là, le fait jouer entre ses doigts, observe sa couleur, lit la composition des étiquettes – je le regarde faire, j'attends qu'il parle –, puis se tourne vers moi et déclare : *ce soir on innove !* Incollable sur les biscuits, les huiles, les riz, il est encore capable de dire quelle marque de pâtes est meilleure selon que l'on envisage une bolognaise (Barilla) ou une arrabiata (Panzani). Je lui demande s'il établissait déjà des menus avant de partir pour une semaine dans un appartement loué avec sa bande, quand ils avaient quinze ans, et il hoche la tête, bien sûr, les menus, sinon c'est n'importe quoi, et moi c'est ce que j'aime faire, de la composition.

3

Établissements/tournedos Rossini

La première fois qu'il travaille dans un restaurant, c'est au seuil de l'été 2004, une brasserie du côté des Invalides, La Gourme. Un job d'été payé 1 000 euros par mois, obtenu par son père qui connaît le patron. Établissement cossu, réputation assise de bonne table, banquettes de moleskine garance et hauts miroirs, clientèle pansue de fines gueules en costumes anthracite et cravates sombres que masquent parfois de grandes serviettes blanches nouées autour du cou comme des bavoirs géants, peu de femmes donc – je suis parfois l'exception de la salle, repliée dans un coin derrière un roman noir, je guette Mauro, j'attends qu'il surgisse entre les deux battants de la porte des cuisines, jamais il n'apparaît, c'est le patron en personne qui se déplace en salle, figure joviale qui salue et plaisante.

La Gourme propose une carte inscrite dans

une culture gastronomique envisagée d'abord comme un artisanat de qualité : recettes traditionnelles, assiettes généreuses, produits haut de gamme, peu de surprises donc, et le goût de la continuité. La philosophie de l'établissement est claire : ici le cuisinier se met au service d'un matériau, et non l'inverse, et cette sorte d'humilité se peaufine à la perfection suivant les arrivages des produits de saison. De même, les clients de la brasserie ne sont pas des aventuriers mais plutôt des habitués, de ceux qui prennent peu de risques, cherchent à retrouver quelque chose qu'ils connaissent, ou ont connu, et viennent ici pour réactiver une archive sensorielle – terrine de lapin à la pistache, gigot de sept heures, tarte fine aux pommes façon grand-mère, ou encore cette madeleine finement cannelée que l'on trempera dans un thé léger en fin de repas.

Établissement de tradition, La Gourme est l'un des derniers restaurants de Paris à employer un boucher en cuisine : chaque nuit, vers 4 heures du matin, le patron part à Rungis pour en rapporter diverses pièces de barbaque rouge ou blanche qu'il dépose à son retour sur la planche de son boucher, lequel les préparera sur place selon les plats proposés à la carte. Une exigence qui fait publicité : ici la viande est bonne, et ça se sait.

Durant l'été, Mauro découvre donc la cuisine bourgeoise française – une autre planète pour ce garçon qui a mangé son premier foie gras à quinze ans lors d'un déjeuner de Noël chez sa tante, et pour qui les œufs en gelée commandés par son grand-père chez le traiteur lors des repas de fête représentent un summum de sophistication – la capsule comestible, la transparence irisée, les couleurs délicates.

Il est placé aux Entrées froides – autrement dit tout ce qui est servi en entrée et ne demande pas de nouvelle cuisson –, et chargé d'un lieu crucial, le garde-manger, local où sont conservés les légumes et les fruits qu'il apprend à connaître, appréciant bientôt de visu la saveur d'une tomate, la finesse d'une asperge, le croquant d'une frisée. Chaque jour, il revêt un tablier blanc de grosse toile rêche qui le gaine et le tient comme un uniforme, puis il s'active. La mise en place est simple et, hormis les pâtés présentés dans des terrines de terre cuite vernissée, les préparations se font à l'assiette : salade de tomates, harengs pommes à l'huile, terrines de foies de volaille chutney, œufs mayonnaise, avocats crevettes sauce cocktail, fruits de mer. Ou encore ce fameux foie gras mi-cuit au torchon, servi avec des tranches de pain de campagne toastées puis emmaillotées dans des serviettes de table.

Mauro se débrouille bien à La Gourme, il aime ce qu'il fait, déclare ne pas avoir connu là le côté dur de la vie des cuisines, les semaines de 70 heures, l'autoritarisme, la cadence et la pression – cependant il n'est pas dupe : fils d'un ami, il aura sans doute bénéficié d'un traitement de faveur. Pourtant, il n'imagine pas encore convertir cette première expérience en pied à l'étrier vers un métier futur. À l'entendre, il aurait tout aussi bien pu travailler dans un cinéma ou chez un vendeur de cycles, au guichet d'une agence bancaire. Il assure avoir simplement saisi l'occasion de se faire un peu de thune avant de partir camper avec sa bande, et s'il s'est éclaté, adroit à superposer sans les briser les deux épaisses tranches de foie gras sur l'assiette, puis à y déposer la pincée de poivre et la pincée de sel comme deux cônes de même taille, le tout ponctué d'une cuiller de confiture de figue, la cuisine demeure une passion dont il déclare ne pas vouloir faire un métier. Ainsi, alors que la majorité des apprentis issus d'une filière technique auraient cherché à se placer au terme d'une première embauche, Mauro sifflote en quittant La Gourme, détache son vélo et reprend dès septembre le chemin des amphis de la fac de sciences éco qui, quelques semaines plus tard, sont devenus ceux de l'université catholique de Lisbonne, où le voilà parti séjourner une année dans un programme Erasmus.

La deuxième table est une tout autre expérience. Elle se présente deux ans plus tard, à l'été 2006.

L'année sabbatique engagée après la séquence Erasmus touche à sa fin et Mauro est rentré de ses séjours à l'étranger, de ses voyages – Berlin, Italie, Venezuela. Il s'installe dans le XIIIe arrondissement où il sous-loue le studio d'un copain libre jusqu'en septembre. Il est amoureux de Mia qui, elle, est restée à Lisbonne, et passe un temps fou sur Internet à chercher des billets d'avion à prix cassés, mais jamais assez pour lui permettre de prendre un vol de dernière minute à l'arrache. Enfin, il a décidé de ne plus demander d'argent à ses parents et de travailler tout l'été. Il cherche immédiatement dans la restauration – sans l'affirmer encore à voix haute, il sait, il sent maintenant qu'il pourrait s'engager sur cette voie, devenir cuisinier. Qu'est-ce qui lui prend alors d'aller poser sa candidature pour des stages non rémunérés ? J'essaye de l'en dissuader un soir où nous nous retrouvons à la piscine, et où Mauro, ayant oublié le bonnet de bain obligatoire, glisse une à une quatorze pièces jaunes dans la fente du distributeur d'accessoires sans parvenir à rassembler la somme demandée – c'est moi qui fais l'appoint. Pourquoi tiens-tu tant à travailler pour rien ? Mauro se tend, son visage se durcit : il mise sur le long terme, veut apprendre, se former dans des établissements d'excellence, quitte à bosser gratos. *Par ailleurs, je te remercie mais je sais ce que je fais.*

Le restaurant Le Merveil, rue Lamarck, au revers de la butte Montmartre, est cet établissement d'excellence, feutré, conservateur, luxueux, étoilé. La meilleure table au nord de la capitale. Salle à manger de soixante couverts, boiseries, rideaux à embrasses, chintz, tables rondes aux lourdes nappes tombant sur le sol, serviettes blanches, verres taillés et argenterie. Les assiettes y sont précises, soignées, une minutie nouvelle pour Mauro qui l'apprend en cuisine. Sous la pression.

Au début, le jeune homme est surpris. Confronté pour la première fois à ce désir de maîtrise, à cette tension muette vers l'excellence, une tension capable d'organiser l'intégralité d'un travail collectif, de faire danser une hiérarchie, d'instaurer un montage complexe de rivalités et de micro-pouvoirs qui s'encouragent et luttent, d'appeler les salariés au dépassement de soi, une tension capable de faire système.

Surtout, il pénètre un autre monde. Celui-là est séparé en deux par un mur que perce une porte à double battant, il est scindé en deux zones contraires : la salle à manger sur la rue ; les cuisines à l'arrière. La première est un théâtre, un espace de représentation offert au regard. Vaste, éclairée, pacifique. Ce qui frappe d'emblée est son bruissement continuel, un calme gorgé de sensations, de regards, d'intentions. On y perçoit des chuchotements, le tintement des verres, le froissement des nappes et celui des étoffes contre les dossiers des bergères, on y éprouve la suavité des bouquets de fleurs fraîches et la profondeur moelleuse des tapis où s'enfoncent les talons des escarpins, les semelles de cuir ; on imagine la finition des assiettes, leur dessin sophistiqué, le pointillé d'un vinaigre balsamique sur la porcelaine et les pétales de chips à la betterave figurant des roses, les mises en bouche miniatures qui fondent ou croustillent dans des coupelles délicates, les verrines sophistiquées aux dégradés *tie and dye*, les huîtres glacées piquées de pétunias, on y découvre la saveur de ces vins qui évoluent lentement contre le palais, leur goût bouleversant progressivement tout le corps et fabriquant ce réel continu et voluptueux dans lequel se dissoudre ; on visualise la pièce doucement éclairée, intime, rosée, réservant juste ce qu'il faut d'ombre sur les visages de ceux qui se délectent et sourient, jouissant sans retenue de leur privilège, obscènes dans leur plaisir, quand de l'autre côté de la double porte qui bat, s'ouvrent les coulisses, seconde zone que régissent des lois inverses.

Fini le fourmillement silencieux, la texture sonore de calme plein, c'est une zone de bruit : sifflements des feux de gazinières, grincements des lames, vrombissements des petits moteurs qui fonctionnent ici et là, éclatements de bulles à la surface des bouillons, raclements et chocs métalliques. Le temps ne s'y écoule plus en nappes sensorielles d'une liquidité suave, il se divise en minutes, en temps de cuisson ou de dressage, scandé par la voix qui annonce la commande et par la sonnette qui livre le plat en retour, de même, l'espace y est segmenté, compartimenté, chaque homme cantonné dans un périmètre, occupant un poste, la chaîne des actions y est millimétrée, minutieuse, activée par l'obéissance, la discipline, l'exécution des ordres : c'est une organisation militaire où les hommes sont en brigade.

Mauro déchante : on lui parle comme à une

merde. On le houspille, on le harcèle. Impression d'avoir toujours quelqu'un sur le dos, une présence dans le cou, une gorge dans l'oreille. Constat qu'en ces lieux, toute parole n'est qu'un concentré de directives émises à toute allure, directives auxquelles les seules réponses tolérées sont des hochements de tête, des acquiescements. Par ailleurs, on ne lui montre pas grand-chose non plus : à lui de s'adapter, à lui d'observer et de comprendre, à lui d'apprendre sans ralentir la cadence générale, sans faire peser son inexpérience et ses lacunes sur l'ensemble de la cuisine. Tu te démerdes et tu bosses. Une situation que Mauro accepte d'autant plus mal qu'il travaille gratos : selon lui, le deal n'est pas respecté.

Un matin, au beau milieu du service, Mauro reçoit en pleine figure une cuiller à pomme parisienne en métal – il n'a pas choisi le bon diamètre pour lever des billes de pomme. Le choc le surprend, il pousse un cri, vacille, son nez saigne, il jette autour de lui un coup d'œil circulaire : chacun s'active en silence, il ne croise aucun regard. De son poste, le chef lui crie de ne pas faire le malin et de tout reprendre fissa comme il le lui a demandé, c'est quand même pas compliqué. Mauro desserre les doigts, lâche son ustensile – un économe –, s'essuie le nez d'un revers de la main, s'essuie les paumes des mains sur son tablier à hauteur du thorax, puis rassemble ses couteaux, les lave lentement, les essuie avec soin, les range dans leur étui, déboutonne sa blouse tandis qu'autour de lui certains maintenant ralentissent, lui jettent des coups d'œil par en dessous, mais sans moufter, sans s'interrompre, puis, toujours calme, il saisit son étui et traverse la cuisine en direction de la porte, passe devant le chef qui maintenant lui tourne le dos et continue d'agir comme s'il n'avait rien vu, comme s'il ne voyait rien, quand, à l'instant de quitter la salle, Mauro laisse traîner une main sur un plan de travail, laquelle entraîne dans son sillage un grand bol en inox qui rebondit avec fracas sur le sol tandis que la porte bat derrière lui – je l'ai déjà vu quitter de la sorte des repas, des cours, des salles de cinéma, et même des filles, c'est un départ qui lui ressemble, silencieux et déterminé, comme si rien ne pouvait le retenir quelque part quand il a décidé d'en finir, rien. Après quoi, il me confiera la veille de Noël, tout en préparant un chili con carne pour dix-huit personnes : *J'ai tenu trois semaines, c'est déjà pas mal finalement, j'étais trop vieux déjà, je n'avais pas suivi la filière classique, j'avais vécu d'autres expériences et n'étais pas comme les autres apprentis, plus jeunes, dix-sept/dix-huit ans, plus malléables, impressionnés.*

Dehors, le soleil tape dur, Mauro est ébloui, cligne des yeux, détache sa bécane, descend la rue Caulaincourt sans donner un seul coup de pédale, glisse jusqu'à la place de Clichy et là, s'assied sur la première terrasse, commande un jambon-beurre et un panaché, sourit, savoure, libéré.

L'été bat son plein, les touristes sont à Paris. Il y a du travail dans les restaurants, dans les bars et les cafés, un *turnover* cadencé dans les cuisines de la capitale. Une semaine plus tard, Mauro réembauche sur un contrat de commis de cuisine dans une brasserie à Montreuil, Les Voltigeurs. C'est son premier contrat, un CDI au smic – *dans la restauration, tu es toujours embauché en CDI, c'est toujours le cuisinier qui s'en va, jamais le patron qui vire, la main-d'œuvre est bien trop rare !*, Mauro plisse ses yeux sur une assiette de fraises qu'il vient de cueillir dans le jardin, *après il y a smic et smic, dans un métier où tu fais facile 70 à 80 heures par semaine, à la fin du mois ton smic a une drôle de gueule.*

Le restaurant est vaste : soixante à soixante-dix couverts. Deux services à midi et deux le soir assurés par une équipe de quatre personnes – *assez sport comme taf,* Mauro me tend un bol de pistaches. Ce n'est pas de la haute cuisine, mais les produits sont frais, le cadre agréable et le jeune homme s'entend bien avec ceux qui tiennent l'établissement, des Ariégeois durs au mal – aux fourneaux, deux frères de même taille et de même corpulence, boule à zéro, tête rentrée dans les épaules, sourires francs ; en salle, leurs épouses, elles-mêmes sœurs, grandes gueules affectives et diligentes, corps vigoureux, mâchoires carrées et voix de fumeuses.

Aux Voltigeurs, Mauro se confronte donc aux gros services, aux cadences dingos, apprend à encaisser les coups de feu, quand les assiettes tout juste dressées décampent les unes derrière les autres ; il acquiert la résistance physique. Se dépasse, voltige d'une tâche à l'autre justement, devient polyvalent. Les patronnes l'adoptent, à son égard rivalisent de bienfaits, lui réservant ces belles tranches de foie de veau au jus de framboise gorgées de protéines, du jus de viande dans une tasse pour qu'il se fortifie, et des coupes de sorbets maison aux couleurs pastel, mais il ne touche à rien, pas le temps, pas le temps, ou alors, comme d'habitude, debout sur le coin du plan de travail. De même, elles se disputent pour le soigner s'il se brûle, s'il se coupe, et plantées côte à côte dans la cour, le regardent réparer son pneu de vélo en lui préparant les rustines. Mauro les aime bien.

Bientôt, il passe toute sa journée au restaurant, finissant par s'endormir sur une banquette dans l'arrière-cour, chat au soleil, quand les chefs eux aussi font la sieste, ou, mieux, saisissant là l'occasion de parler un peu à Mia tout en grillant son forfait – Mia qui décrochera une fois sur douze, sans pouvoir lui parler tendrement, elle aussi est au boulot. En réalité, si Mauro ne profite pas davantage de sa pause, c'est qu'il est déjà trop fatigué pour bouger, ou plutôt trop anxieux de se fatiguer davantage avant de reprendre le service du soir, et se dit qu'il n'est pas franchement stratégique d'empiéter sur son temps de pause avec des trajets à vélo. Difficile alors d'entreprendre quelque chose, d'aller boire un verre en terrasse avec une copine – moi par exemple –, voir un film dans une salle climatisée, nager à la piscine, faire un tour en barque.

L'été s'écoulant, Mauro s'attarde également aux Voltigeurs une bonne partie de la nuit, les soirées se prolongeant à la table des patronnes, que des types sans vergogne rallient souvent après la fermeture du service. Mauro déteste leurs mines de faux derches, leur manière de se tortiller et de refuser qu'on leur serve un dîner quand s'ils viennent ici, à cette heure, c'est qu'ils savent bien que jamais on ne leur refusera de quoi se sustenter, et du sérieux si possible, c'est Mauro d'ailleurs qui rallume la cuisinière qu'il vient pourtant de passer un quart d'heure à nettoyer, et qui ressort casserole et poêle pour une omelette spéciale – tu leur mets une petite purée de champis, d'accord Mauro, on ne va pas les laisser comme ça hein ? Les coups à boire, les plaisanteries, les bonnes histoires alternent souvent jusqu'à 2 heures du matin, les rires des patronnes redoublant à mesure que la nuit avance.

Vers la mi-août, j'ai rendez-vous avec Mauro un dimanche à Vincennes. Nous nous retrouvons au bord du lac, près de l'embarcadère. Nous attendons notre barque, assis dans l'herbe sous l'ombre fraîche d'un pommier. Il s'est couché la veille à 3 heures du matin, a des cernes bistre sous les yeux, le corps sec d'un athlète qui court le marathon, et lape lentement sa glace à la pistache. Plus tard, quand notre esquif se présente, joyeux, peinturluré, mon ami s'est endormi et je passe la fin de l'après-midi à bouquiner près de lui tout en chassant les guêpes en vol stationnaire au-dessus de son tee-shirt.

Mauro finit l'été aux Voltigeurs, perd 3 kilos tout en se renflouant les poches, mais quand arrive la rentrée, annonce aux Ariégeois qu'il s'en va. Les patronnes ouvrent des yeux ronds et se décrochent la mâchoire, ne comprennent pas : Les Voltigeurs, c'est la perspective d'une continuité, d'une inscription dans un univers professionnel où il est désormais *placé*. Elles se sentent trahies : ce gamin est d'une ingratitude ! Mauro me téléphone le soir pour me faire le récit de l'annonce de son départ, je le sens fébrile, remonté, et pour la première fois l'entends dire qu'il n'en peut plus de cette tôle, putain, qu'il est sur les rotules et que les entreprises familiales où l'on bosse de 7 heures à 2 heures du mat' sept jours sur sept, c'est pas sa came : *trop d'affectif là-dedans, je ne suis pas leur gosse moi, je suis pas comme eux, j'ai une vie, ce que je veux, moi, c'est un taf carré, des horaires stricts, et mon salaire.*

Septembre 2006. Mauro claque la bise aux patronnes qui se tiennent les poings sur les hanches et le chambrent en riant : va voir ailleurs si l'herbe est plus verte, et reviens vite, tu es ici chez toi ! Elles se sont détendues quand il leur a fait part de son choix : revenir aux études, après l'année sabbatique post-Erasmus, et intégrer un master à l'Institut d'étude du développement économique et social. Et même, elles sont impressionnées, opinent du chef : le monde universitaire, imposant et crypté, est tout de même moins difficile à avaler qu'un autre restaurant.

La décision de Mauro surprend aussi son entourage, on commence à ne plus pouvoir le suivre : mais qu'est-ce qu'il fout à la fin, c'est le master ou la cuisine ? Le garçon s'explique : le retour à la fac procède du désir de maintenir plusieurs fers au feu, de faire tourner plusieurs assiettes, tel un jongleur chinois, afin de toujours avoir de quoi jouer si une assiette tombe au sol, et se brise. Sans doute cherche-t-il encore à cultiver un profil déjà original dont il sent bien qu'il lui octroie une singularité, une ampleur de réflexion, une ouverture d'esprit. D'une certaine manière, la vitesse de rotation des effectifs qu'il a déjà perçue dans la restauration l'encourage à attendre, il fait confiance à ce mouvement. Il se dit qu'il trouvera bien des heures ici et là pour gagner un peu d'argent – ce qu'il veut maintenant, c'est filer retrouver Mia à Lisbonne en novembre, la tenir dans ses bras, respirer l'odeur de ses cheveux.

Justement voilà un autre restaurant dans le Xe arrondissement qui lui propose un boulot. Mauro va rencontrer le cuisinier qui est aussi le propriétaire des lieux. Ce ne sont pas des heures en extra dont il est question mais bien d'une place. Cependant, alors que le rythme du travail aux Voltigeurs rançonnait ses journées entières et les deux tiers de ses nuits, il semble que le tempo qu'on lui évoque ici puisse se combiner à autre chose. À l'automne 2006, Mauro signe son contrat – de nouveau un CDI au smic – et la vie accélère encore.

Le Villon est un petit bistrot gastronomique, rue des Petits-Champs. Formule entrée-plat-dessert pour 35 euros, assiettes basiques mais soignées. Vingt clients à midi, quarante le soir mais un seul service et une petite équipe pour faire tourner l'affaire : deux cuisiniers dont Mauro, et un plongeur multiplatines. Le chef est un type calme, cheveux noirs buissonnant dans la nuque, visage en lame de couteau, et yeux bleu marine bien enfoncés sous l'arcade sourcilière. Mauro aime immédiatement sa pudeur et son intensité, il s'emballe, se dit qu'il va enfin expérimenter de près la marche d'un restaurant à taille humaine, et les premiers jours, après l'expérience physique de la brasserie de Montreuil, trouve tout cela *assez light*. Les premiers jours seulement. Car dès octobre, les cours du master s'inscrivant dans son emploi du temps, les journées se tendent et se segmentent, deviennent folles. Il est urgent de changer de bécane, d'essayer quelque chose de léger, une machine aérienne et rapide pour sillonner la ville. Mauro chope un fixy, gonfle les pneus à bloc et s'élance chaque matin dans la rue de la Roquette en direction du Père-Lachaise. Du mardi au samedi, ses journées s'organisent ainsi : 8 h-10 h : master, cours d'amphi, rue de Bagnolet. 10 h-14 h : Le Villon. 15 h-17 h : master, travaux dirigés (TD) à Nogent-sur-Marne. 19 h-23 h 30 : Le Villon.

Alors il faut tenir, tenir le rythme, tenir la journée, éviter que ça dérape. Et pour cela accepter une vie sans temps mort, sans autre respiration que celle du « 17-19 », ces deux heures en fin d'après-midi durant lesquelles il s'attable avec son Perrier-rondelle pour lire dans l'arrière-salle silencieuse d'un café de la rue du Château-d'Eau.

Ses parcours à vélo deviennent des sas durant lesquels il anticipe la suite de la journée, récapitule les tâches – roulant vers Le Villon, il se dit qu'il doit appeler tel fournisseur qui n'est pas venu la veille, changer une ampoule, essayer le carpaccio de poire lamellé de roquefort ; roulant vers Nogent ou la rue de Bagnolet, il liste ce qu'il doit faire : choper tel livre à la bibliothèque, développer telle idée dans tel exposé, croiser coûte que coûte tel professeur. Loin de s'épuiser, il s'excite chaque jour davantage, galvanisé à l'idée d'être constamment dans l'action, et comme tenu, gainé par elle, et de se penser comme quelqu'un qui a toujours quelque chose à faire, quelqu'un qui occupe une place dans des processus et que de ces heures, de ces journées, résultent des actions concrètes, des accomplissements. C'est une ivresse. À peine s'il perçoit que sa vie, sa vie sociale et sentimentale, elle, s'assèche – la bande des six, la vie de famille, les fêtes, le cinéma, la lecture, les virées, mais aussi Mia dont le visage se floute jour après jour, Mia qu'il n'a jamais été voir à Lisbonne comme promis, pas le temps trop de boulot, et qu'il avait délaissée quand elle lui avait fait la surprise de venir, elle, la quittant le matin endormie pour la retrouver au milieu de la nuit, trop fatigué alors pour lui prodiguer les gestes qu'elle attendait, trop fatigué pour la désirer finalement, ne dégageant qu'une après-midi pour flâner avec elle dans les replis du quartier, sans jamais s'éloigner du Villon, comme si le restaurant était désormais l'épicentre magnétique de leur histoire, Mia qui était rentrée un jour plus tôt à Lisbonne, ne laissant qu'un mot sur le lit qu'un seul mot un seul : basta.

4

Coups

Un soir, un mois ou deux après la fin de sa période au Villon, nous regardons la télé, Mauro et moi, dans ce studio du XIIIe qu'il a conservé – toujours pas l'impression, au vu de l'aménagement sommaire, qu'il se soit réellement installé là. C'est *Top Chef.* L'émission de télé-réalité fait un tabac, tout comme d'autres qui lui ressemblent et dont les audiences ne cessent d'augmenter. Le cuisinier est devenu un personnage important de la société contemporaine, une star médiatique désormais éloignée du type bougon et mystérieux qui sortait des plats depuis le secret de son antre, et les cuisines sont devenues des studios de télévision. Mauro énumère les émissions – *MasterChef, Oui chef !, Un dîner presque parfait, Le Meilleur Pâtissier du monde* – et je relève leur nombre, étonnée. Mon ami hausse les épaules : *tu vois bien que quand on parle de cuisine, on ne parle pas du reste, de tout ce qui va mal dans le monde ; tu vois bien que l'intérêt porté à la gastronomie n'est jamais si fort que dans les périodes où les gens sont inquiets : ça rassure, ça rassemble, ça parle au corps, ça donne du plaisir, il y a là du partage, du théâtre, de la vérité.* Il ajoute, assombri : *la concurrence, la discipline, le mérite : tout le monde s'y retrouve, tout le monde se tient tranquille.* Sur l'écran, dans une immense cuisine aux îlots multiples, les candidats sont alignés, bras croisés, écoutent l'animateur rappeler les consignes de l'épreuve d'une voix dopée à l'enthousiasme de la compétition. Il s'agit de réaliser un plat autour d'un pigeon. Au top départ, les candidats se précipitent à leur poste de travail, affolés, ne sachant plus dans quel ordre opérer, puis chacun stabilise son processus : la pression monte à mesure que le temps s'écoule.

T'es sûr que tu veux regarder ça ? Je demande, étonnée. Mauro ne répond pas, rivé à l'image où les jeunes gens maintenant épluchent, coupent, ébouillantent. Les ustensiles en inox rutilent sous les spots de même que les aliments qui semblent vernis au pinceau, et que les jeunes chefs eux-mêmes, splendides en tablier ou sanglés dans des vestes éclatantes de blancheur. La caméra s'attarde sur leurs gestes, leurs mains méticuleuses, des mains qui semblent multipliées comme celles d'une déesse indienne, découpent un pigeon et simultanément beurrent un fond de tarte. Les gouttes de sueur perlent sur les visages tandis que le chrono tourne, que le présentateur dialogue avec un chef célèbre et qu'ensemble ils valorisent les candidats, ce goût du travail, ce sens du dépassement de soi, cet héroïsme. Ils ont les dents qui brillent. Soudain, Mauro se lève, mordant : *la cuisine ce n'est pas exactement ce monde souriant, ce n'est pas un monde très affectueux, tu sais* – j'entends ces dents qui grincent.

La violence, c'est une vieille antienne des cuisines. Les coups, les jets d'objets ou d'ustensiles, les brûlures, les insultes. La promiscuité qui exacerbe les contacts, si bien que l'on se bouscule, que l'on se pousse, que l'on ne supporte pas le coude du voisin – dégage ! –, que l'on défend sa place physiquement, son pré carré, de même que l'on se dispute les machines, les ustensiles. Des récits s'échappent des cuisines : c'est un commis qui reçoit une baffe parce qu'il est surpris à ne rien faire quand il est simplement en train d'attendre que sa casserole se remplisse d'eau, c'est un autre qui encaisse une assiette en pleine figure car l'entrecôte y est trop cuite, c'est un troisième brûlé à l'avant-bras par une cuiller ou par une lame bouillantes parce qu'il a raté un beurre blanc, ce sont encore des brimades à l'encontre des nouveaux, ces humiliations, ces bizutages – je me souviens de cet apprenti qui avait commencé avant tout le monde afin de prendre de l'avance sur sa mise en place, s'était levé deux heures plus tôt pour dresser ses assiettes que le chef, furieux de cette initiative qui feintait son autorité, avait toutes foutues par terre en raclant la table de l'avant-bras. Mais le plus violent, finalement, est que cette violence soit considérée par les cuisiniers eux-mêmes comme une loi du métier, un ordre auquel il faut se soumettre, un temps qu'il faut traverser comme une initiation. Ils en parlent comme d'une tradition louable, voire une pédagogie. Pour devenir cuisinier, il faut savoir se faire un peu mal. Ceux qui s'engagent dans cette voie sont prévenus, ils acceptent implicitement d'en baver, de résister, de s'endurcir, de se rallier à l'idée d'une sélection naturelle qui éliminerait les chétifs, les faibles, les hésitants, les insoumis.

Évidemment, cette culture de la violence va de pair avec un discours sur la solidarité qui existe dans les cuisines. *C'est un peu comme une famille,* Mauro lâche ces mots sans quitter des yeux les candidats de *Top Chef* qui s'activent sur l'écran, et qui, pour l'heure, ne nourrissent pas tellement de sentiments fraternels. J'ai souri : Mauro, tu ne vas pas me faire le coup de la famille ? J'aurais voulu lui rappeler que pas un de ses collègues n'avait bronché quand il avait quitté Le Merveil après avoir reçu la cuiller de métal en pleine figure, mais il n'est pas d'accord : *je t'assure, les chefs se sentent souvent responsables de « leurs jeunes » comme ils disent, ils s'en occupent, ils s'en préoccupent, ils les suivent, et la plupart du temps ils sont là en cas de pépin.*

Il évoque cependant un autre type de violence, insidieuse, psychologique. Quand l'exigence devient une tyrannie, une obsession. Quand la pression exercée en cuisine est diffusée, impulsée par ceux-là mêmes qui la subissent, en actionnent la mécanique perverse, parfois la devancent et ce faisant l'amplifient. C'est ce management par la pression où, la rivalité aidant, chacun en fait des tonnes : *par exemple, quand tu arrives au boulot à 8 heures comme demandé et que tu apprends que tout le monde est là depuis 7 heures et turbine. Du coup, le lendemain, qu'est-ce que tu fais ? Tu arrives toi aussi à 7 heures.* Une chose quand même, il précise en me regardant droit dans les yeux : *je n'ai jamais gueulé : « oui chef ! » en recevant une consigne ou un ordre, jamais* – je me souviens d'un documentaire sur les cuisines prestigieuses d'un grand hôtel parisien dont la bande-son, justement, aurait pu être enregistrée sur le tarmac d'une académie militaire, à West Point par exemple, où des gars en uniforme hurlaient « Yes Sir ! » à chaque ordre donné par le type qui leur faisait face.

Mauro se lève et va éteindre la télé tandis que le compte à rebours a commencé sur l'écran – nous ne saurons pas ce soir qui est le meilleur chef de la saison télévisuelle, qui va empocher les cent mille euros et la bénédiction d'un collège de ces chefs étoilés. Il se retourne vers moi et s'immobilise : *mais la plus grande violence de ce métier, tu sais, la plus grande violence, je trouve, c'est que la cuisine exige qu'on lui sacrifie tout, qu'on lui donne sa vie.*

5

CAP / blanquette de veau à l'ancienne, sabayon framboise

Au retour de Caracas, où il assiste au Forum social en avril 2006 – Chavez ne l'impressionne pas plus que ça –, Mauro annonce qu'il a décidé de passer son CAP de cuisinier. Autour de lui, on ne comprend pas, on s'étonne : quelle idée ! pourquoi le CAP (Certificat d'Aptitude Professionnelle) ? – autrement dit, pourquoi vouloir obtenir un diplôme de filière courte, où convergent les relégués de l'Éducation nationale, les manuels, les techniques, les non-bacheliers, quand on a suivi des études longues, universitaires, et que l'on est tout de même titulaire d'une maîtrise de sciences économiques, merde, à quoi cela aura-t-il servi, alors, les Erasmus et tout le toutim ? Anticonformistes, ses parents, eux, le soutiennent, heureux que leur fils ait trouvé sa voie, mais insistent sur le fait que, soyons clairs, en ce qui nous concerne, les études, c'est la dernière année. Parfois, le spectre du déclassement avance, masqué sous des remarques de bon sens : tu es trop vieux Mauro, tu devrais plutôt faire des stages, apprendre sur le tas. Mais le garçon tient bon : en réalité, plus qu'un gage de crédibilité dans un monde qui se méfie des branleurs, des dilettantes, des fils de famille fumistes que l'art culinaire fascine, le CAP est un gage symbolique, le signe que l'on consent à entrer dans le dur de l'affaire, à pénétrer ses dimensions physiques, techniques, normatives, à encaisser sa rigueur disciplinaire, à rallier les coulisses carrelées et jonchées de métal où s'agitent ceux qui œuvrent dans les soutes de la grande gastronomie française, patrimoine culturel et orgueil national, à rejoindre ceux qui travaillent à sa conservation, à son expansion, à son rayonnement, eux-mêmes anonymes et invisibles.

Mauro passe l'examen en candidat libre un an plus tard. Ce jour-là, il revêt la tenue de cuisine qu'il doit porter pour les épreuves, une tenue achetée chez Monsieur Veste pour 68 euros et qu'il choisit blanche : pantalon et veste de cuisine, mocassins spéciaux, tablier demi-chef (longueur aux genoux), calot – il défile à travers le petit jardin, silencieux, le torse étroit moulé dans le tablier, ses longs bras fins, puis me regarde, dubitatif : *ça va ? j'ai l'air d'un clown ou pas ?* Je souris, il n'est pas mal du tout et totalement crédible. Tu es splendide. Après quoi, il rassemble les ustensiles qu'il doit apporter pour l'épreuve pratique, barda admirable dont il fait l'inventaire devant moi, saisissant l'un après l'autre chaque objet et le nommant à voix haute, un peu comme le magicien présente chapeau, baguette, et petite balle à l'assistance avant d'accomplir son tour : fouet, canneleur, économe, corne, zesteur, paire de ciseaux, pince à spaghettis, pince pour retourner les viandes, fourchette, douilles unies et cannelées, maryses, et encore une spatule exoglass et une spatule plate à pâtisserie, une louche, quelques cuillers à soupe et à café, la cuiller parisienne pour lever les billes, une balance électrique dont il prend soin de vérifier les piles, ainsi que les couteaux choisis au terme d'une longue investigation – les lames en acier sont couchées à plat dans l'étui noir, toutes orientées dans le même sens, couteaux à désosser, à saigner, tranchelard et couteau d'office, le fusil à aiguiser. Mauro se répète leur nom de guerre, trouve étrange d'être ainsi armé.

Le jour de l'examen, ils sont quatre à se présenter en candidats libres dans les locaux d'un lycée technique du XVIIIe arrondissement – outre Mauro, deux candidats de son âge, et une femme d'une trentaine d'années. La salle est vaste, carrelée, elle résonne au moindre bruit mais pour l'heure baigne dans le silence singulier des lycées vides.

Dispensé des épreuves classiques – maths et français –, Mauro a potassé les deux autres écrits, la PSE (Prévention Santé Environnement) et la théorie. La première est une question générale, porte sur les différents contrats d'embauche, la capacité à mettre en place un budget, ou à réagir en cas d'accident ; l'autre contrôle les techniques de base de la cuisine, et vérifie la connaissance des risques sanitaires, celle des règles d'hygiène, tout ce qui fait l'organisation de la cuisine. Mauro trace.

L'épreuve pratique, en revanche, l'inquiète davantage : le candidat dispose de quatre heures trente pour élaborer puis préparer deux plats (entrée et plat, ou plat et dessert) pour quatre à huit personnes, pour les présenter, puis nettoyer et ranger, le tout sous les yeux d'examinateurs qui suivront la démarche, noteront les techniques, évalueront les mets. Mauro se mord les lèvres et son calot verse un peu sur son crâne quand il découvre le sujet écrit au tableau : blanquette de veau à l'ancienne, sabayon framboise. Des plats qu'il connaît mal, des plats faussement simples – la blanquette surtout est piégeuse, le velouté de la sauce conditionnant la réussite du plat. Le chrono démarre, il se frotte le menton, a décidé de ne pas s'emballer, va se placer à son poste et commence sa mise en place. Les deux autres garçons aussi sont concentrés, ils s'approprient l'espace, réunissent les aliments et les ustensiles. En revanche, la fille plus âgée s'affole dans l'inventaire, interpelle l'un des examinateurs – Monsieur, je n'ai pas de carottes ! –, le type d'un coup de menton lui indique une réserve au fond de la salle sans même décroiser les bras. Mauro réfléchit, élabore un plan de travail dont il note les étapes en style télégraphique dans un cahier : la blanquette va mijoter trois heures, pendant ce temps, il cuira les champignons, glacera de petits oignons blancs, et réalisera le sabayon qui, lui, demande une vingtaine de minutes ; le velouté, ce sera après, avec le bouillon de la viande. Mauro se demande un instant comment travailler la framboise et la crème entre le veau et les champignons, visualise une blanquette à la framboise et un sabayon aux champignons, se dit que ce ne serait pas si mal, sourit, puis saisit la viande, la place au fond de la cocotte, et verse de l'eau à hauteur, ça y est, c'est parti.

Le temps de l'épreuve est d'une richesse inouïe, la salle s'emplit de gestes et de bruits – clapot de ce qui mijote, glouglou de ce qui bout, souffle moelleux du fouet dans la crème, frappe accélérée de la lame du couteau quand elle hache les navets, quand elle émince les carottes –, le silence y est grevé de souffles, d'exclamations, de commentaires, de jurons, et de ces encouragements que l'on se prodigue pour rester dans la course, pour tenir bon, allez ma belle, allez ! – la jeune femme au chignon banane de traviole s'exhorte à voix basse –, si bien que c'est l'impression d'agitation frénétique qui domine. Les examinateurs ont le dos raide quand ils penchent le cou au-dessus des postes. De temps à autre, ils interrogent : pourquoi ne réduisez-vous pas votre feu ? pourquoi la cocotte plutôt que le fait-tout ? quelle cuisson voulez-vous obtenir ? Mauro répond juste sans perdre de vue ce qu'il est censé réaliser. Il compose le temps à mesure qu'il décompose les opérations, biffe une à une les lignes sur son carnet, mais oublie tout de même la farine dans le velouté, dès lors bien trop liquide sur la cuiller, et rate la présentation du sabayon qui ne ressemble à rien, les fruits amochés dans la préparation ont perdu leur forme délicate, les pulpes sont déchirées, la crème maculée de traînées roses

– merde, c'est de la purée ou quoi ? À l'heure dite, le jeune homme présente ses plats au jury qui les examine avant de les goûter. Mauro piétine, dubitatif et lessivé. Un rayon de soleil éclate dans la salle nettoyée, tout étincelle et resplendit. Il est reçu.

6

Un portrait

Je veux décrire ce jeune type qui a toujours faim, qui a toujours envie de manger quelque chose, quelque chose de bon. Ce jeune type déterminé et farouche. Je me poste à la terrasse de ce café du Xe arrondissement, face au carrefour, pour bien le voir arriver justement. Il déboule à vélo, tête nue, les fesses décollées de la selle, la bécane vacille au freinage, il met pied à terre, soulève le cadre, colle la machine contre le garde-fou qui sécurise ce virage du boulevard Voltaire, et hop, attache l'antivol. D'emblée, une impression de « hop ! » justement, des gestes millimétrés et précis comme une danse.

Pas franchement la tête de l'emploi. Sa personne tout entière contredit le cliché de jeune cuistot passé par le CAP, façon tablier blanc, rondeurs joviales, joues roses, cheveux en brosse, nuque courte et oreilles bien dégagées.

Elle ne se raccorde pas non plus à celui du jeune branché urbain qui ferait fureur dans le fooding à Paname. Lui est sec, noueux, du muscle dans les bras – il en faut, cuisiner tient du sport, tient de la course, endurance et sprint, haies. Ce qui frappe chez lui c'est sa dégaine, la légèreté et la précision qui émanent de ses mouvements, et ce calme concentré qui lui confère une aura de sagesse. Plutôt grand de taille, il est fin de jambes, hanches étroites et torse plat, pas un pet de graisse donc – la jeunesse ? –, des épaules certes mais de profil : un fil. Son visage aussi est mince, lèvres fines et cheveux souples, mi-longs châtains, lunettes rondes cerclées de métal – faux air de jeune intellectuel trotskyste ? – qui lui font le regard doux, peau mate et voix posée. Rien de la générosité expansive des professionnels des métiers de bouche, ceux qui ont le sourire large et l'hospitalité aisée, ceux qui marient le plaisir du goût et le goût de la parole – la tchatche calibrée des cabots, les oracles de poètes. Rien de leur présence autoritaire non plus, de leur propension au coup de gueule, au coup de pression. Lui est juvénile, calme, ténébreux, furtif. Un chat. Un Perrier-rondelle. D'emblée ce sont ces mains qu'il faudrait décrire. Celles-là travaillent, travaillent tout le temps, ce sont des outils d'une technicité folle, des instruments sensibles qui fabriquent, qui touchent, qui éprouvent – des capteurs. Les phalanges surtout impressionnent, étirées, puissantes comme des doigts de pianiste capables d'aller chercher trois octaves plus loin la bonne note, capables de se déplier en trois mouvements, de se désarticuler, capables de combiner plusieurs gestes à la fois. Mains de travailleur et mains d'artiste donc, de drôles de mains.

7

La Belle Saison/gnocchis au beurre et à la sauge

Quarante mètres carrés encochés dans un vieux passage du faubourg Saint-Antoine, c'est La Belle Saison. Soit une salle d'un seul tenant, un comptoir de bar, et des cabinets réglementaires. Mauro se tient sur le seuil et ses baskets piétinent. Son regard parcourt lentement l'intérieur, les poutres apparentes et le sol carrelé, les chaises retournées sur les tables. Il évalue les lieux et hoche la tête, puis se retourne vers Jacques qui discute avec le propriétaire : c'est bon pour moi ! Sa voix résonne dans le passage.

Dix mois ont passé depuis les débuts de Mauro au Villon. C'est sa plus longue expérience et le binôme qu'il forme avec Pierre, le chef, est maintenant rodé. Les deux hommes se comprennent à demi-mot, ont des sensibilités communes, et finalement le garçon s'occupe aussi bien des commandes auprès des fournisseurs, de la facturation ou de l'embauche des plongeurs que de créer des entrées froides pour la carte d'été ou de choisir de nouvelles assiettes pour la salle. Quand Pierre s'absente, Mauro prend naturellement la relève dans une continuité de qualité que chacun reconnaît. Cela se produit d'ailleurs de plus en plus souvent à partir du printemps 2007 : Pierre vient de tomber amoureux d'une vigneronne des Corbières venue le démarcher pour lui vendre son vin. Désormais, il file la rejoindre dans ses collines dès qu'il peut, finissant par y passer souvent la moitié de la semaine tandis que Mauro assure. La charge de travail devient néanmoins intenable à partir de juin, les examens de Mauro approchant.

Un lundi matin, Pierre rentre en coup de vent et annonce à Mauro qu'il a décidé de vendre Le Villon et de partir vivre dans les Corbières. Mauro encaisse. L'affaire part dans la semaine. Les adieux sont expéditifs.

Le nouveau propriétaire des murs est un beau gosse de trente ans, jovial et dégourdi, qui veut créer un restaurant en phase avec l'évolution du quartier, un endroit agréable et branché où l'on proposerait une restauration légère dans un décor tendance, plutôt trendy minimaliste : tables en bois clair, chaises façon Eames bon marché et lampes en papier japonais pour avaler soupes, salades, bagels, quiches, tourtes, et des pâtisseries qui fleurent bon le Brooklyn des hipsters – *carrotcakes, cheesecakes, cupcakes, donuts, brownies.* Mauro l'écoute s'emballer pour cette perspective pourtant banale mais n'est pas séduit. Il aimerait travailler ailleurs que dans des établissements installés où la carte n'innove plus, ailleurs que dans ces nouveaux salons de thé stylés pour jeunes urbains cool. Il décide d'attendre, revoit quelques copains, en juin obtient son CAP et son master d'économie, sait que son profil atypique accroche l'attention.

Dehors dans le passage, le soleil de décembre dessine des ombres franches sur les pavés. Tandis que Mauro visite, Jacques discute avec le propriétaire, un vieux Libanais fatigué qui lui retrace l'histoire des lieux. C'est depuis longtemps une bonne adresse du quartier. En 2001, quand il a racheté, c'était un bar haut de gamme tenu par des personnalités du quartier, et proposant, outre des vins choisis, une petite restauration de qualité, des charcuteries et des fromages importés directement des producteurs. Mais chacun dans les parages se souvenait encore de La Belle

Saison comme d'un restaurant familial où s'étaient succédé des générations d'artisans du faubourg, un repaire de jouisseurs qui avait compté jusqu'à dix sortes d'andouillettes à la carte ; chacun évoquait les tables dressées avec des nappes à carreaux, les rideaux de toile de jute à embrasses rouges, les reproductions accrochées sur les murs de pierre – surtout des natures mortes : retour de chasse dans les marais, assiette de crustacés et carafe de vin clair, corbeille de fruits démente façon Arcimboldo –, le certificat de bons et loyaux services remis par l'Association amicale des amateurs d'andouillette authentique affiché aux yeux du monde dans un cadre doré voisinant avec le jambon suspendu au clou. À l'époque, cette institution du quartier servait cent couverts par jour – deux services au déjeuner, deux au dîner. L'affaire avait bien tourné jusqu'à ce procès de voisinage perdu par les propriétaires qui durent supprimer la cuisine à l'étage pour la caser tant bien que mal dans l'escalier. Sans véritable cuisine, démuni, le restaurant avait fini par se réformer en bar de qualité, et peu après, guignant une retraite potagère dans le Quercy après quarante années de restauration, dont une vingtaine à La Belle Saison, le couple avait vendu. L'actuel propriétaire venait alors d'épouser une femme bien plus jeune que lui et avait souhaité lui faire ce cadeau. Ensemble, durant sept ans, ils avaient fait vivre La Belle Saison avec cette même clientèle convertie au labné et au mtabal, au hummous et au taboulé, et toutes sortes de brochettes grillées ou de chaussons fourrés à la viande issues de la gastronomie libanaise. Aujourd'hui, l'affaire est à bout de souffle, Jacques le comprend vite : il y a toujours ce problème de cuisine dans l'escalier, et puis le propriétaire est âgé, tenir un restaurant demande une énergie qu'il n'a plus, lui aussi aimerait prendre sa retraite.

Jacques calcule : ce dont il dispose, le taux du prêt que consentiraient les banques, le montant qu'il pourrait demander à certains investisseurs de son entourage. Les chiffres défilent. Faut se lancer, hein, qu'est-ce que t'en dis, on le fait ? Mauro regarde son père, sidéré de ce qui se passe – eux deux côte à côte, devant la porte de La Belle Saison –, sonné que se concrétise cette idée émise trois semaines auparavant, dans la cuisine de la maison d'Aulnay. Ce soir-là, il nous avait régalés de cannellonis à l'encre de sèche fourrés à la ricotta, et s'attardait : *maintenant, j'aimerais ouvrir un lieu à moi !* On l'avait mis en garde d'un air docte – c'est lourd tu sais, un resto, tu n'as que vingt-quatre ans, profite plutôt de ta jeunesse – et puis Jacques avait surgi, et déclaré d'une voix forte : J'aime ce projet, Mauro, on va le faire ensemble ! À cinquante-cinq ans, Jacques a de l'énergie, une faconde peu commune, la passion d'apprendre, et c'est encore un homme disponible, qui vient de décider de quitter son poste à la direction d'une école d'informatique, qui a du temps et l'envie de créer quelque chose. Il avait levé son verre à la ronde pour saluer cet élan – et j'avais levé le mien aussi en regardant Mauro qui pliait la nappe sans émotion apparente.

Mauro piétine devant La Belle Saison, il sourit. Dans quelques jours, Jacques et lui reviendront toper dans la main avec le propriétaire, rentreront dans la salle déboucher un vin d'Anjou clair et frais ou, mieux, ce vieux Kefraya élaboré dans la plaine de la Bekaa que l'on sert dans les grandes occasions. Mais pour l'heure, le garçon observe son père qui s'informe, se dit que c'est un projet jouable et nullement fantaisiste, sait qu'il sera au travail de l'aube au crépuscule et qu'ils ne seront pas trop de deux. Après quoi, dans les mois qui viennent, le père et le fils s'attellent au montage financier du projet. Les banques renâclent : la restauration est rarement une bonne affaire, plutôt un gouffre, et le binôme qui se présente est fragile – tout de même examinons : le cuisinier est jeune et inconnu, il a travaillé moins d'un an, n'a aucune expérience de chef, et pas non plus la culture du métier, et le père, lui, ne connaît rien au monde de la cuisine. L'affaire, en outre, nécessite d'entrée un certain investissement : c'est une adresse en baisse qu'il faut réactiver, cela prendra du temps.

Et puis, il y a des travaux. Une cuisine, entre autres, ne serait pas inutile. Jacques et Mauro ont d'ores et déjà prévu de casser le mur de l'escalier, de déplacer les toilettes et de créer une sorte de cuisine-cockpit dont le plan situe quatre feux et un four, un petit plan de travail, et un frigo d'étudiant. On rafraîchira aussi ce petit appartement au-dessus du restaurant, où Mauro s'installera. Finalement ça passe, les financements tombent, et en juin 2008, Jacques et Mauro signent l'affaire pour 150 000 euros. Il était temps : un mois plus tard, apparaissent les prémices de la crise – la grande crise, celle de 2009.

La veille de l'ouverture, Mauro solennel m'ouvre la porte de La Belle Saison. Nous traversons la salle qui semble à cette heure retenir son souffle, et pénétrons dans la minuscule cuisine agencée au millimètre, où le moindre espace est doté d'une commande spécifique. Il fait glisser les tiroirs, coulisser les placards, couler l'eau des robinets. Je lui demande s'il sait ce qui l'attend, il me toise et rétorque : *je ne me pose pas la question, je le fais, c'est tout.*

Le 18 juin, c'est l'inauguration. La Belle Saison est bondée, les trente-cinq places assises accueillant encore deux ou trois copains si on se serre un peu. Les amis sont tous là, la bande d'Aulnay au grand complet commandant bouteille sur bouteille, la famille, et les voisins du passage rencontrés pendant le chantier. Dans sa cuisine de poche, Mauro turbine, n'ayant qu'à opérer des torsions du torse et des épaules, n'ayant qu'à lancer ses bras ici ou là pour atteindre les produits et préparer les plats. À l'ardoise, au déjeuner, il propose une entrée à 6 euros, des plats entre 10 et 12, un dessert à 8 ou 9. Le soir, ce sont des crostinis – tartines de pain toastées – créées selon les ingrédients qui lui restent une fois achevé le service du midi, ce qui donne des bouchées originales et délicates poivrons/ anchois, poire/roquefort, brocciu/ thon fumé. En salle, Jacques, lui, a trouvé un plateau à la mesure de sa cordialité, de l'intérêt inépuisable qu'il porte à autrui, aussi jovial que Mauro est taiseux, aussi attentif à ses commensaux que Mauro l'est à étonner leurs papilles dans le secret de sa thurne, duo unique que vient renforcer de temps à autre cette copine débrouillarde et polyglotte cherchant de quoi arrondir ses fins de mois. À La Belle Saison, c'est toujours la belle saison, voilà ce que Jacques annonce à ceux qui demandent des précisions sur les plats à l'heure de la commande.

Dès le premier été, le restaurant se remplit à midi d'une clientèle d'employés et d'artisans du quartier qui prennent chaque jour le temps de déjeuner, même rapidement, quand les deux services du soir, eux, accueillent des amateurs plus gastronomes, de ceux qui aiment découvrir de nouvelles adresses de « bons petits restos », de ceux qui traversent tout Paris pour un bon repas, de ceux qui débarquent à quatre ou cinq pour goûter les vins bio et les tapas élégantes. Le bouche-à-oreille fonctionne vite, si bien que Mauro et Jacques décident à la rentrée d'étoffer la carte du soir, et de proposer autre chose que les tapas, car les clients, finalement, veulent manger, c'est bon signe. Alors ça marche. Et même, ça marche gentiment.

De retour du marché, Mauro cuisine sans lever le nez pour être prêt vers midi quand les premiers clients se pointeront le ventre vide. Ce qui se produit durant ces heures compactées, dans cet espace réduit, est tout à la fois une improvisation d'une grande intensité, une expérience sensorielle de haute volée et une confrontation avec la matière – une matière organique, vivante, ultra-réactive. Quand je lui demande de préciser comment il fait, Mauro hausse les épaules, tord la bouche et se caresse le menton : *je me concentre sur les produits, l'idée est plutôt de les révéler, de les mettre en lumière, c'est parfois en les associant à d'autres qu'ils montent en bouche et se montrent.* Ces alliances, ces contrastes, ce sont ses recettes qu'il interprète à l'aune de tel légume rapporté du marché, et réinventées. De temps à autre, il goûte comme on sonde, pour connaître la profondeur de ce qu'il prépare, les prolongements, les métamorphoses possibles.

Aujourd'hui, on évoque cette cuisine de poche comme le repaire d'un sorcier où Mauro trafiquait en solitaire, chef autodidacte sorti de nulle part ; on raconte ce cagibi comme le cœur d'une fabrique magique d'où sortaient des assiettes merveilleuses qui se renouvelaient jour après jour. Maquereau aux framboises fraîches, bar de pêche, risotto au potiron, bœuf braisé au jus de carotte et basilic sur feuille de choux, gâteau suave de pommes de terre au sorbet d'orange sanguine, salade de poulpe au fenouil frais, enroulés de sole et pancetta, queues de lotte aux fruits de la passion, pageot et sa tombée d'épinards, salade de pieds de porc et œufs de saumon au jus frais de céleri blanc. Certaines recettes de La Belle Saison deviennent rapidement des plats de signature, notamment les gnocchis au beurre et à la sauge, fondants et moelleux, ou ceux aux girolles, ou encore ceux aux lard et petits pois.

Cette cuisine inventive, délicate et anti-esbroufe, impressionne. Le travail de Mauro rappelle que, contrairement à l'idée commune, le cuisinier le plus doué, le plus inventif, le plus juste, n'est pas forcément celui qui métamorphose le produit mais peut-être celui qui le restitue le plus intensément.

Des articles élogieux paraissent ici ou là sur des sites Internet tenus par de fines gueules au fort pouvoir de prescription, des voix qui ont l'attention de ceux qui ne vivent que pour l'expérience du repas, ces obsédés de l'assiette : tous saluent la singularité de l'expérience qu'ils ont vécue à La Belle Saison. La jeunesse du chef, surtout, étonne – vingt-quatre ans, un gosse ! –, de même que sa maîtrise, sa sensibilité, mais tout cela moins que son tempérament, sauvage, secret, peu enclin au passage en salle et aux serrages de mains sur fond de collecte de compliments, se montrant peu donc, un tempérament à rebours des tendances qui travaillent le monde de la gastronomie – la cuisine envisagée comme un spectacle télévisuel, mise en scène comme une compétition à suspens, et les chefs convertis en people, en icônes médiatiques, en visages capables de faire vendre. Des critiques gastronomiques réputés difficiles évoquent La Belle Saison comme leur plus belle découverte depuis des lustres, et Mauro comme une promesse ; des blogueuses branchées qui se déclarent folles de cuisine publient des photos de leurs assiettes ; la communauté du fooding le reconnaît comme un des siens, la nouvelle génération, l'avant-garde.

La première année, Mauro assume seul le travail en cuisine. C'est dur, physiquement difficile pour un type seul. Il tient le coup avec des coups de main – la famille se soude autour de lui, sa mère et sa sœur virant extras en période de pointe – et de petites nuits quand le travail abattu nécessiterait de longs sommeils réparateurs. Un plongeur rapplique, qui participe aussi à l'épluchage, mais l'exiguïté de la cuisine limite tout autre recrutement. Quand celle-ci est agrandie en 2009 – signe que quelque chose se passe –, Mauro embauche un commis pour le seconder en cuisine – lui aussi un CDI au smic mais un vrai smic sans heures supplémentaires, il y veille. Il décide aussi de démarrer plus tôt le matin, afin de se préparer à l'afflux de clients qui toujours débarquent entre 13 h 30 et 14 heures, soit vingt-cinq repas servis à toute allure. Je lui demande si cette solitude lui pèse, si l'étrange responsabilité de régaler ceux qui sont attablés en salle ne serait pas plus vivable si elle était partagée, et il secoue la tête, argue d'un tempérament indépendant, *je suis bien comme ça, je suis peinard, personne ne me gueule dessus.*

La journée, surtout, est longue, longue. Une fois la cuisine nettoyée, il est 15 heures et enfin Mauro s'assied. Temps de pause. Il déjeune tandis que le calme se fait dans le passage, comme si l'air s'épaississait soudain, comme s'il se renflait de silence, l'espace se vide, le plongeur et le commis ont maintenant disparu. Mauro se détend, parfois s'endort. Souvent, il retourne faire un tour au marché histoire de faire quelques visites, de boire un verre avec d'autres artisans pour qui ces heures de l'après-midi sont mêmement lancinantes, creusées comme des cavités de repli dans des journées barges, et puis l'après-midi brutalement s'écourte, il faut déjà retourner à la cuisine. À 18 heures Mauro reprend, il est déjà à la bourre, il est toujours à la bourre, *j'ai passé quatre ans à faire la course contre la montre,* me dit-il en préparant un savarin à la clémentine dans des coupes en verre au pourtour givré, un jour de canicule.

Le moment le plus difficile, curieusement, n'est pas le coup de feu du service mais bien le soir quand il faut tout nettoyer, tout ranger, et faire le dressage de la salle pour le lendemain, quand la journée pèse, quand le stress du service a tout épuisé et que l'on est fourbu, sans plus de force pour parler, regarder quelqu'un. Le commis et le plongeur terminent toujours avant Mauro qui tournicote jusqu'à minuit au moins, les derniers clients chuchotent, reprennent un café tout en enfilant leur manteau. C'est l'heure où Jacques se lance dans une longue discussion avec un couple du quartier qui s'attarde au comptoir, et c'est l'heure où Mauro, impénétrable, sort les poubelles du cockpit, signifiant de la sorte qu'il ne va pas tarder à monter se coucher, et Jacques d'annoncer d'une voix solennelle : « C'est l'heure, on ferme, demain y a école, les gars. »

8

Aligre / topinambours, paleron

Il est 8 heures, parfois 7, quand Mauro traverse la rue du Faubourg-Saint-Antoine. Il est alors en vue du marché d'Aligre, portant son cabas, tirant son chariot, ou poussant son caddie. La journée s'inaugure, les vendeurs à l'étal sous la halle et ceux des stands à l'extérieur se hèlent en déchargeant les marchandises tandis que les premiers clients apparaissent – vieilles dames à petits pas venues chercher une conversation et leur viande du jour, soit 80 grammes de foie de veau ou un blanc de poulet, mères ou pères de famille affairés qui font les appros à toute allure avant de filer au boulot, et des types comme Mauro, donc, qui serviront une cinquantaine de repas dans la journée.

Mauro vient désormais chaque jour, qu'il vente ou qu'il pleuve, afin d'acheter viandes, poissons et légumes. C'est le grand moment de la journée, l'instant où se joue la carte du restaurant qui changera en fonction de ce que le jeune homme trouvera là de bon et d'abordable – *changer de carte chaque jour, c'est le côté ludique du truc, l'invention est quotidienne, tu détermines un « produit du moment », du coup il n'y a pas vraiment de routine, ni pour les clients, ni pour moi*, Mauro mâchonne une allumette tout en m'indiquant d'un coup d'œil de belles asperges d'un blanc crémeux.

Restaurateur pauvre, sans facilité de caisse, contraint par une trésorerie tendue et par des emprunts à rembourser, Mauro doit encore penser à maîtriser les coûts, à tirer sur les prix. Pas question de déraper dans ses achats. Il doit exercer sa sagesse.

Le marché, c'est avant tout la construction d'un réseau de relations essentielles à la bonne marche du restaurant, et Mauro envisage d'emblée cette virée quotidienne comme un apprentissage, une entreprise qui demande que l'on prenne du temps, que l'on s'attarde, que l'on montre patte blanche. Il explore le périmètre, décrypte les circuits, repère les différents acteurs et les relations qui maillent les lieux – qui approvisionne qui –, sachant qu'un restaurant comme La Belle Saison est un marché de niche qui n'intéresse pas grand monde.

Aux premiers temps, donc, il visite. Arpente

chaque allée du marché, écume chaque stand, compare les ardoises, évalue les marchandises, et finalement, mettra un certain temps à identifier celui qui le fournira en fruits et légumes – *tu deviens une force de négociation quand tu prends tous tes légumes chez le même bonhomme,* me dit-il alors que nous marchons côte à côte. Nous poussons devant nous le caddie qui a remplacé ce vaste cabas qui débordait trop vite, exigeant que Mauro fasse un second passage : le chariot épargne son dos tout en augmentant sa capacité d'achat, muscle ses abdominaux, ses épaules et ses bras – les premiers jours il grimacera de douleur en sentant ses courbatures et je passerai alors lui livrer une fiole de baume du Tigre en lui disant de faire gaffe, que ce n'est pas pour la cuisine. Au bout de quelque temps, il finit par s'entendre avec un marchand de primeurs qui travaille en cheville avec un gars qui, à Rungis, est chargé de lui trouver les meilleurs producteurs de fruits et légumes et de l'approvisionner en quantités et qualités précises – 20 kilos de carottes fanes pour Mauro, de petite taille et pointues de préférence mais aussi ces légumes rares qu'il aime cuisiner, topinambours, héliantis, ou tétragones.

À partir de 2010, Mauro travaille de plus en plus souvent avec une épicerie d'un genre nouveau dont l'idée est de privilégier des circuits courts entre le producteur et le consommateur. De meilleurs prix, donc, et une rotation rapide de produits, assurance d'une fraîcheur optimale. Les arrivages sont quotidiens et ciblés. La collecte des produits – fruits et légumes, fromages, charcuterie, poissons, fruits de mer – se fait par l'épicier lui-même lors de tournées nombreuses et régulières dans des fermes sélectionnées : il va chercher le neufchâtel fermier à Saumont-la-Poterie en Seine-Maritime, le filet mignon de porc fumé à Sarzeau dans le Morbihan, le boudin blanc à la boucherie La Croix de Pierre à Rouen, les pommes melrose et poires conférence à la ferme de la Grange fruitière à Jumièges, en Seine-Maritime, et roule jusqu'aux viviers de Saint-Vaast-la-Hougue, dans la Manche, pour les huîtres. Quand il n'est pas en camionnette, il prend le RER avec un caddie jusqu'à la dernière station de la ligne pour aller chercher les yaourts au lait cru de cette fermière de l'Eure.

La viande, en revanche, c'est plus délicat. Il faut s'allier à un boucher de confiance, faire équipe avec un fournisseur. Le premier avec lequel Mauro commence à travailler ferme en août si bien que, démuni, il se décide à entrer dans le marché Beauvau pour s'adresser à l'un des deux ou trois derniers artisans bouchers de la place de Paris, un boucher à l'étal dont la côte de bœuf, les rillettes de lapin et de gibier sont renommées dans toute la capitale. L'homme ne travaille pas avec les restaurants, ces derniers exigeant des quantités de viande trop importantes – il refuse de se mettre sous la coupe d'un client et d'emblée affiche son indépendance, sa volonté de travailler comme il l'entend. « Je n'ai pas besoin de toi, tu sais », semble-t-il dire à Mauro qui patiente, chaque jour revient le voir, revient se faire connaître, stationnant de longs moments près de la caisse espérant une audience, quelques mots à la volée, un regard de confiance. C'est un apprivoisement. La patience opiniâtre de Mauro porte ses fruits : à la fin de l'été, le boucher accepte de fournir la viande de La Belle Saison, étape importante qui aura des répercussions sur la réputation du restaurant. Mauro, pourvu en palerons rassis de sept semaines ou en travers de veau de toute fraîcheur, reçoit en outre une sorte d'onction symbolique.

Enfin, il y a le vin. Difficile d'élaborer une carte, même simple, quand on n'a pas de culture du vin, ce savoir dont on dit qu'une vie ne suffirait pas à l'acquérir. Or, dans ces sociabilités quotidiennes qui forment souvent le premier tissu relationnel d'un quartier, Mauro va croiser deux bonnes fées : Michel, propriétaire d'un bar à vins, L'Envolée, dont la carte propose une belle sélection, et chez lui, Fabrice, sommelier du Bristol. Ensemble, ils organisent des dégustations à l'aveugle un vendredi par mois – *c'est eux, mon école*, me prévient Mauro tout en me faisant signe d'approcher pour regarder dans la lumière du jour la couleur d'un vin de Loire qui tournoie lentement dans son verre. Fabrice l'aide à composer sa cave. C'est pour Mauro le moment de faire reconnaître qu'il est à moitié italien : les vins de La Belle Saison seront des vins bio de petits producteurs de la péninsule.

L'approvisionnement, question clé de la gestion d'un restaurant, se peaufine au fil des jours. Il s'agit de combiner la fraîcheur, le coût mais aussi les capacités de stockage – ultra-limitées à La Belle Saison où le micro-frigo contient déjà toute la crémerie. Dès lors, Mauro s'attelle à trouver une définition exacte des quantités, mécontent qu'il y ait du gâchis. Il ajuste, ajuste, ajuste toujours mieux, toujours plus précisément, trouvant donc dans les tapas du soir une solution savoureuse aux restes du déjeuner. Ainsi il fait ses courses pour trois services seulement et quoi qu'il arrive, à 10 heures, il est en cuisine.

9

Fatigues

Après quoi, je ne l'ai plus vu pendant quatre ans. Ou plutôt je ne l'ai plus vu comme nous avions l'habitude de nous voir avant La Belle Saison, ni balade en barque sur les eaux moirées du lac de Vincennes, ni cinéma nocturne à la Bastille, ni séance de piscine aux Buttes-Chaumont, ni bulle au parc, ou soirées affalés dans un canapé à écouter de la musique chez l'un ou chez l'autre. Si je voulais avoir un moment avec lui, la seule solution était de venir le soir à la fin du service, entre minuit et une heure, quand les derniers clients le félicitaient à voix haute sur le seuil de la porte – c'est de l'art, Mauro ! Lucullus Mauro ! nous reviendrons toutes les semaines Mauro ! – sans pour autant parvenir à obtenir de lui qu'il sorte du cockpit et vienne bavarder avec eux, non, il passait seulement une tête au-dehors, et s'essuyant les mains dans son tablier, les regardait en répétant des hochements de menton tandis que ses lèvres articulaient un merci inaudible. Le plongeur finissait la vaisselle, le commis enfilait son blouson de cuir, Jacques rangeait le bar, Mauro se servait un café et finissait par me tendre une joue plate, ça va ? Alors, je prenais place sur l'un des tabourets et commençais à raconter, Mauro venait aux nouvelles des uns et des autres, de la bande des six et de Mia – quand je lui parlais d'elle, quelque chose semblait encore s'allumer sur son visage –, mais parlait peu sinon beaucoup de monosyllabes et de demi-sourires, et au bout de dix minutes, il allumait l'ordinateur pour faire les commandes auprès de l'épicerie de la rue de Charonne, cliquait dans des fichiers multicolores, inscrivait des quantités, les fraises gariguette et le potimarron, alors mes mots se noyaient lentement dans la lumière bleutée de l'ordinateur jusqu'à ce que je finisse par me taire. Une nuit j'ai fini par lui dire doucement, OK, tu n'écoutes pas, je vais y aller, mais il a tressailli comme si secoué par une décharge électrique et a posé une main sur mon bras en haussant le ton, *arrête, je suis crevé, tu vois pas ?*

Il me rappelle six mois plus tard, un jour de juin, en 2012 : on vend. Je suis interloquée, merde, je croyais que ça marchait bien – « la table qui monte dans l'Est parisien », « une cuisine de traverse loin des postures gastronomiques », « une cuisine de l'instant, du juste et de l'essentiel » – et alors je l'ai entendu rire – ça faisait longtemps – : *t'inquiète ça marche bien, ça marche trop bien même.* Il a la voix claire, moins enterrée que dans mon souvenir. Il propose que l'on se retrouve, et une heure plus tard nous sommes assis face à face dans un bar de la Butte-aux-Cailles où je lui rappelle que la dernière fois que je l'ai vu de jour, c'était un 1er janvier il y a trois ans, je gardais un chien rigolo que je baladais comme je pouvais du côté de la Bastille. Il n'a pas une mine de capitaine, certes, et le blanc des yeux un peu jaune mais ce n'est pas non plus le type livide, parcheminé, qui a passé la moitié des trois dernières années debout dans un réduit de 4 mètres carrés. Raconte. Un Perrier-rondelle. *J'arrête. Je suis fatigué. Crevé, épuisé, rincé, rançonné, cassé, brisé, rompu, moulu, vidé, exténué, harassé, claqué, naze. Ça ne se voit pas mais je suis mort.*

Je suis mort.

La fatigue. Quatre ans qu'il est fatigué. Le dos, le cou, les articulations. Il a toujours mal. Il a oublié la sensation du bien-être, ne sait même plus à quoi ressemble de vivre dans un corps reposé, sans douleur, sans torsion, a oublié la sensation de légèreté, le temps souple, les plis de l'aléatoire. Il raconte ses journées rivées à la gestion quotidienne du restaurant, au contrôle du bon enchaînement des opérations, au peaufinage d'une méthodologie capable d'améliorer les assiettes, il décrit la fatigue mentale, subreptice, qui s'accroît à mesure que s'accroît sa solitude, celle qu'il ressent face à Jacques, face au commis et au plongeur, cette solitude impartageable du chef.

À présent, je le sens qui s'emballe, son débit accélère, il frappe la table de l'index alors qu'il détaille le rythme du travail, la cadence qui dévore le matin, qui dévore le soir – *c'est cela le plus dur, zéro soirée, tu vois ou pas ? zéro soirée en quatre ans !* –, ne laissant guère que quelques heures dans l'après-midi, de pauvres heures, un temps mort dont tu pourrais faire quelque chose de pas mal, mais seul, car ce sont plutôt des heures où ça bosse autour de toi, alors tu montes dormir un peu et tu redescends quand c'est l'heure de reprendre, et le dimanche tu dors, tard, beaucoup trop tard, tu traînes, vaseux, tu es bien trop crevé pour entreprendre quelque chose d'envergure, si bien que tu ne sors plus tellement hors du quartier, peu à peu ton périmètre de vie rétrécit, le quartier, le passage, La Belle Saison, la cuisine de poche où partout il se cogne, jusqu'à ce plan de travail résorbant maintenant sa vie entière. Alors j'ai revu le studio de Mauro au-dessus de La Belle Saison, la pièce au plafond bas où l'on avait jeté un grand matelas au sol, où les fringues s'amoncelaient, où l'ordinateur était posé sur des cartons de livres qui n'avaient toujours pas été déballés, j'ai revu la lumière orangée qui filtrait à travers les rideaux continuellement tirés. Mauro vivait sur son lieu de travail, je le réalisais subitement, et ce qui avait été si pratique au départ, ce petit appartement, une commodité qui lui éviterait le temps perdu dans les transports, oui, quelle chance, ce petit logement l'avait finalement privé de ces sas entre son lieu de travail et son lieu de vie, l'avait dépouillé de ces interstices, de ces entre-deux de flottement, aptes à créer des brèches et à ouvrir des cavités de songes dans le temps, durci, bétonné, du jour.

Je suis mort. Il rit devant moi, renversé sur sa chaise, les mains croisées derrière la tête, les paupières closes, *dead.* Et cette phrase qui éclate : *je veux une vie.* Je l'observe. La trentaine approchant, peut-être que l'idée de la jeunesse qui file, s'épuisant, le tourmente ; peut-être qu'il a le sentiment de la sacrifier à la cuisine exactement comme les athlètes de haut niveau sacrifient la leur au sport – et jamais on ne regardera d'assez près ce renoncement, la discipline, la souffrance, le contrôle du corps et des émotions qui l'animent, la vie psychique couvée comme le lait sur le feu, autant dire neutralisée, cet ordre que l'on impose et que s'imposent ceux de vingt ans, cet héroïsme noir qui regarde vers la gloire. Cela ne pouvait durer éternellement comme ça, La Belle Saison. Une logique sourde, qui était la logique économique, qui était la logique de l'entreprise, qui était celle, implacable, qui exige de grandir si on ne veut pas périr, sinuant comme un courant d'air froid au fond de l'océan, cette logique-là avait fini par se briser, se briser contre sa jeunesse. Ces derniers temps – mais était-ce sous le coup de la fatigue justement ? –, il avait senti qu'il peinait à se renouveler, variant les compositions sur le même morceau de viande sans faire évoluer sa pratique, et souffrant de plus en plus de la contrainte de l'espace – une sensation de tassement général, d'empêchement, de ressassement. Il s'était mis hors course, il était sorti du jeu. Et ce faisant, il avait fait éclater la structure du temps qui bridait son existence.

10

Asie / pot-au-feu, bouillons

Deux mois plus tard, Bangkok est grise, tiède, frénétique. Mauro travaille dans un restaurant italien en vogue où l'un de ses copains, chef, l'a appelé pour une place vacante. Le jeune homme s'est dit qu'il prendrait bien le large après la fermeture de La Belle Saison, et que la Thaïlande serait une porte d'entrée possible pour découvrir la cuisine asiatique. La vente du restaurant a rapporté 270 000 euros, une plus-value qui le console un peu des mois passés sans se verser de salaire, il a un peu de temps pour voir venir. Pour l'heure, il ne travaille cependant aucun produit local : l'accès à la gastronomie internationale est l'un des marqueurs essentiels de la riche bourgeoisie d'affaires qui prospère ici. C'est là qu'il œuvre.

Il est initié aux dernières tendances culinaires, celles qui font fureur à Los Angeles, Londres, Paris et Dubai ; il expérimente des techniques dont il n'avait jusque-là pas la moindre idée, et parmi elles, la cuisson sous vide, qui ne doit rien à la bravoure du cuisinier, mais repose sur un principe de cuisson longue à basse température, ce qui favorise une meilleure concentration des sucs et permet d'obtenir une consistance très tendre de la chair. On en raffole dans ces établissements de prestige, puisqu'elle a été calibrée par des chimistes ayant déterminé les temps de coagulation, puisqu'elle est infaillible, ne laisse rien au hasard. Tout cela n'excite guère Mauro : il juge cette méthode de cuisson intéressante pour les bas morceaux, merveilleuse pour le pot-au-feu par exemple, que l'on fait cuire pendant quarante-huit heures à 80 °C, mais ridicule sur un filet de bœuf. En revanche, il apprend vite. Commence à s'ennuyer.

Un jour, le patron lui propose de rejoindre l'un de ses autres restaurants, nouvellement ouvert dans l'un des quartiers en vogue de la ville. L'établissement est organisé selon un concept radical : dix places assises, un parcours gastronomique en dix étapes, ouvert le soir uniquement. Autrement dit le summum de l'élection et de l'intimité, l'expérience ultime. Cette idée d'exclusivité excite le désir mimétique, à l'image d'une série limitée, d'un privilège rare : on se flatte d'y avoir dîné, on y pense longtemps à l'avance et la liste d'attente, interminable, ne se raccourcit jamais. Mauro envisage cette place comme une expérience. Il travaille bien, sa créativité et son sang-froid impressionnent. Mais quelques semaines plus tard, quand le patron lui annonce son projet de créer une chaîne de restaurants haut de gamme destinés à cette bourgeoisie d'affaires mondialisée qui nomadise de capitales en villégiatures, le jeune homme secoue la tête, cela ne l'intéresse pas, il ne s'imagine pas prolonger l'expérience dans ce type de restaurants, ne veut pas s'attarder trop longtemps dans ces parages de la société thaïlandaise, se dit qu'il aimerait voir quand même autre chose de l'Asie que cette ville passée sans transition de la rizière au *mall* de luxe climatisé, dans cette fourmilière humaine dopée à la consommation, magnétisée par l'Occident.

Son ami s'étonne : mais qu'est-ce que tu as ? il y a de la thune à se faire ici, et le taf est quand même plus cool qu'en France, non ? Mauro demeure silencieux, il regarde autour de lui : le rythme est soutenu, c'est vrai, mais pas acharné, la main-d'œuvre bon marché et abondante diluant la charge de travail – *imagine dix bonshommes pour éplucher trois carottes* – et le management par la pression ne marche pas, si bien qu'il règne un certain calme en cuisine, calme qui, s'il se craquelle comme une carapace sèche, s'il casse, donne lieu à des scènes d'une violence inouïe, le type méticuleux qui fourrait lentement ses raviolis de porc au gingembre sortant soudain un couteau effilé au beau milieu de la pièce, la pointe de la lame piquant la carotide d'un autre tandis que chacun se fige dans les vapeurs de bouillons. Certes, Mauro occupe ici une place enviable, il est un jeune chef français dont la présence concourt à composer l'image de marque d'un établissement. Mais il y a dans ces cuisines quelque chose dont le garçon, d'instinct, s'éloigne, quelque chose de léché, de boosté, de trafiqué, lisible sur les corps bodybuildés des cuisiniers qui s'affairent autour de lui. Un regard biaisé sur la beauté. Alors, il s'en va, il part. Démissionne une nouvelle fois, poursuit son parcours. Ce sera la Birmanie.

Il part sac au dos, voyageur itinérant, ajustant sa trajectoire au jour le jour, sans plus chercher à travailler ici ou là, et dort chez l'habitant. Il découvre un pays secret et fougueux, aux rythmes lents. Mauro part le plus loin possible, dans les villages. La campagne est douce, elle décline des verts intenses et fait entendre une rumeur continue qui accompagne son pas. Le jeune homme prend le temps d'observer les gestes de ceux qui préparent les repas, dans les maisons, dans les tavernes. Finalement c'est là qu'il va trouver ce pour quoi il était venu, cette cuisine de rue, cette cuisine simple et populaire distribuée dans des bols et dégustée assis sur de petits bancs, ces marmites de bouillons au curcuma, ces fritures de toutes sortes, ces légumes en saumure, ces riz parfumés à la coriandre, ces salades aux feuilles de tamarin, aux feuilles de thé, ces fruits éclatants. Il s'émerveille de découvrir ces goûts étranges qui brassent en profondeur dans sa mémoire, ces odeurs qu'il n'identifie pas, ces saveurs qui renouvellent sa capacité à s'étonner.

Je reçois une carte postale peu avant Noël. Quelques mots me reviennent : ngapi, balachaung, gingembre.

11

Fooding/grattons, fèves vertes, pigeons

Mauro vagabonde, il cherche quelque chose, il patiente. Je perds sa trace quelques semaines puis il refait surface et à chaque fois que nous nous retrouvons, il est engagé dans un autre travail, un autre poste, un autre établissement comme s'il envisageait de tout connaître, d'expérimenter tous les postes.

J'entends dire qu'il est garçon boucher à Vanves, formé auprès d'un artisan orgueilleux de son art, et qu'il apprend à désosser les carcasses, à découper correctement la viande, à préparer les morceaux, qu'il apprend à vider et nettoyer les volailles, cavale tout le jour entre la chambre froide et le magasin, accompagne son patron à Rungis certaines nuits – lui aussi debout au comptoir avec les autres bouchers sur les coups de 5 heures du matin, lui aussi le café et les tartines de grattons – et apprend les noms et les usages des différentes lames avec un sérieux de sabreur japonais.

Je le localise quelques mois plus tard chef de partie dans un restaurant trois étoiles du VIIe arrondissement, recruté par une star de la planète gastronomique, adrénaline en hausse et pression maximale, l'expérience l'intéresse, il cuisine des légumes que l'on fait pousser exprès pour le restaurant dans des potagers situés dans la Sarthe ou dans l'Eure, mais la tension qui règne en cuisine décidément ne lui convient pas, de même que les 1 500 euros par mois pour 70 heures par semaine. Il tient six semaines et s'arrache.

L'année qui suit, Mauro travaille régulièrement comme second dans un restaurant en vogue près de la Bourse, La Comète. Il s'y attarde. C'est une adresse en hausse dans le monde du fooding : le chef est jeune, médiatique, passé par une grande maison après l'école hôtelière, la cuisine est au goût du jour, influences scandinaves et produits bruts, approvisionnement chez de petits producteurs triés sur le volet. Du bio et des circuits courts. Soixante-dix couverts deux fois par jour. Le concept de La Comète inverse la marche du restaurant classique : il n'y a pas de carte fixe, ce sont les produits qui inspirent et déclinent les plats : à midi, un menu entrée-plat-dessert à 45 euros ou une carte blanche en 6 étapes à 75 euros, proposée le soir pour 140 euros avec les vins. L'architecture intérieure mise sur un espace décloisonné, sans séparation entre la cuisine et la salle, manière de rendre l'invisible visible, de convertir le travail en chorégraphie, en théâtre, et manière de le partager. Ambiance décontractée, élégance épurée, teintes neutres et beaux matériaux.

Je veux voir mon ami au travail, je me pointe un matin assister au service comme on vient assister à une représentation. L'équipe est jeune, mixte, internationale. L'ambiance en cuisine est détendue, plus rock, plus branchée. Mauro m'a prévenue : ceux qui sont embauchés ici ont eu les moyens de se construire une culture gastronomique, ils sont passionnés, ne ressemblent guère aux gamins en échec scolaire, ceux qui ont eu à choisir entre chaudronnier, mécano ou cuisinier, et se sont dirigés vers la dernière option par défaut, ceux qui forment le gros des troupes dans la restauration. Mauro, lui, est payé 2 500 euros pour des semaines qui peuvent là encore atteindre 70 heures.

À 8 heures du matin, heure de la prise de poste, ils sont neuf à s'activer en plus du chef, répartis sur quatre postes dans la cuisine étroite (1 à la viande, 2 au poisson, 3 au garde-manger, 2 à la pâtisserie, et Mauro, le second). L'atmosphère est silencieuse, chacun sait ce qu'il a à faire – éplucher les champignons, les haricots, fumer au foin le bœuf pour le carpaccio, ne pas blanchir les fèves. À 10 heures, le rythme accélère imperceptiblement, des voix fusent – « les poissons sont levés ? », « ça marche le turbot ? », « tu me remontes 3 kilos de crème ? » –, les nouvelles circulent, les cuisiniers évoquent le turnover du milieu, ceux qui partent, ceux qui arrivent, ce second devenu chef en province, ce sommelier génial parti vivre au Chili libérant son poste, ce nouveau resto ouvert à Ménilmontant – « alors ? c'est comment ? » –, ils comparent les postes, les salaires, les horaires, confrontent les réputations des établissements, celles des chefs. À 11 heures, tout le monde s'arrête : c'est le grand nettoyage. La cuisine se refait une beauté et s'organise pour le service. Chacun frotte avec conviction une portion de l'espace, grimpe sur les cuisinières, étire son bras sur les surfaces en inox, dévoilant alors le haut du caleçon et une lanière de peau si possible. On étale partout les tapis de caoutchouc perforé qui assourdiront les bruits. Après quoi, le tempo accélère graduellement et quand enfin ça démarre, c'est beau à voir, rapide et fluide, scandé et précis, les assiettes décampent les unes après les autres au gré des annonces. Le coup de feu a lieu vers 13 h 30, l'intensité monte alors d'un cran, la concentration est au summum, c'est l'instant où la dépense, hautement calibrée, impressionne ceux qui déjeunent en salle. Quand enfin ça décélère, il est près de 15 heures, les deux plongeurs auront lavé près de 420 assiettes car la salle était pleine, et j'entends une petite voix demander à voix haute : et demain, on leur fait quoi ?

12

Cochon de lait

Mauro finit par quitter La Comète à l'amorce de l'été, mais revient y travailler ponctuellement, remplaçant parfois le chef qui s'absente. Libre de son temps et de ses mouvements, il continue dans les mois qui suivent à engranger de l'expérience, brièvement conseiller pour une chaîne de cafés d'un genre nouveau proposant des assiettes froides et chaudes, ou extra rémunéré 10 euros de l'heure pour une copine chef qui s'apprête à cuisiner un mois pour une table de dix personnes dans un restaurant privé du Marais, afin de se faire connaître. Il a quelque chose dans la tête, je le sens. Je l'interroge un soir d'été alors que nous descendons la rue des Envierges vers le parc de Belleville. *J'aimerais de nouveau ouvrir un restaurant.* Je m'arrête sur le trottoir. Sur le même principe que La Belle Saison ? Je demande. Il secoue la tête. Pas vraiment.

L'idée serait de créer un lieu qui redonnerait de l'importance à ce qui se joue en salle. Une table qui réinventerait la commensalité. Le restaurant conçu non plus seulement comme le plateau où s'exprime la créativité glorieuse d'un seul, où se vit une expérience sensorielle individuelle, mais comme lieu d'un rapport à l'autre, et d'une possible aventure collective. *Bon : tu as envie d'un petit cochon de lait rôti, mais il faut être au moins quatre ou cinq, alors tu te lèves et tu demandes à voix haute qui partagerait un cochon de lait avec toi ? Donc tu te déplaces à la table de l'autre, tu discutes avec lui et ça commence comme ça. Tu vois ?* Je vois. Je souris, je fais le geste de lui tendre mon assiette.

DU MÊME AUTEUR

Aux Éditions Verticales

JE MARCHE SOUS UN CIEL DE TRAÎNE, 2000.

LA VIE VOYAGEUSE, 2003.

NI FLEURS NI COURONNES, collection « Minimales », 2006.

CORNICHE KENNEDY, 2008 (Folio n° 5052).

NAISSANCE D'UN PONT, 2010. Prix Médicis et prix Franz Hessel, 2010 (Folio n° 5339).

TANGENTE VERS L'EST, 2011. Prix Landerneau 2012.

RÉPARER LES VIVANTS, 2014. Roman des étudiants France Culture-*Télérama* 2014 ; Grand Prix RTL-*Lire* 2014 ; prix Orange du Livre 2014 ; prix littéraire Charles Brisset ; prix des Lecteurs *L'Express*-BFMTV 2014 ; prix Relay des Voyageurs avec Europe 1 ; prix Paris Diderot-Esprits Libres 2014 ; élu meilleur roman 2014 du magazine *Lire* ; prix Pierre Espil 2014 ; prix Agrippa d'Aubigné 2014 (Folio n° 5942).

À CE STADE DE LA NUIT (1re éd. *Éditions Guérin*, 2014), coll. « minimales », 2015.

UN MONDE À PORTÉE DE MAIN, 2018.

Chez d'autres éditeurs

DANS LES RAPIDES, *Naïve*, 2007 (Folio n° 5788).

NINA ET LES OREILLERS, illustrations d'Alexandra Pichard, *Hélium*, 2011.

PIERRE FEUILLE CISEAUX, photographies de Benoît Grimbert, *Le Bec en l'air*, 2012.

VILLES ÉTEINTES, photographies Thierry Cohen, textes de Maylis de Kerangal et Jean-Pierre Luminet, *Marval*, 2012.

HORS-PISTES, *Thierry Magnier*, 2014.

UN CHEMIN DE TABLES, *Seuil*, 2016 (Folio n° 6673).

KIRUNA, *La Contre-allée*, 2019.

Composition Nord Compo
Impression Novoprint
à Barcelone le 20 juin 2019
Dépôt légal : juin 2019

ISBN 978-2-07-285385-2 /. Imprimé en Espagne.